Novela

Boris Izaguirre
1965

ESPASA

© Boris Izaguirre, 2002
© Espasa Calpe, S. A., 2004
   Vía de las Dos Castillas, 33. Ática, Ed. 4. 28224 Pozuelo de Alarcón (Madrid)

Diseño de la cubierta: adaptación de la idea original de Juan Pablo Rada
Ilustración de la cubierta: Archivo del autor
Fotografía del autor: Archivo de Espasa Calpe
Primera edición en Colección Booket: abril de 2004

Depósito legal: B. 10.558-2004
ISBN: 84-670-1375-3
Impresión y encuadernación: Liberdúplex. S. L.
Printed in Spain - Impreso en España

Biografía

Boris Izaguirre (Caracas, 1965), venezolano de origen, afincado en España y con una marcada vocación cosmopolita, se ha hecho famoso en nuestro país gracias a sus intervenciones televisivas. Polemista e ingenioso, Izaguirre ha aprovechado la tribuna que le ofrecen los medios de comunicación para promocionar su particular visión del mundo; una óptica que mezcla a partes iguales rigor, creatividad y sentido del humor. *1965* es su tercera novela, tras *El vuelo de los avestruces* (1991) y *Azul petróleo* (Espasa, 1998). Además, es autor de los ensayos *Morir de glamour* (Espasa, 2000), *Verdades alteradas* (Espasa, 2001) y *Fetiche* (Espasa, 2003), con los que obtuvo una espectacular acogida. Asimismo es guionista de los culebrones *Rubí*, *Señora* y *La dama de rosa*, entre otros, y ha pertenecido al equipo de guionistas de exitosos programas de televisión.

Colabora en *Crónicas marcianas*, de Javier Sardá, en el espacio de radio *La Ventana*, de Gemma Nierga, y escribe una columna de actividades sociales en la revista *Zero*.

Para Belén, por tanta suerte. Y por tanto amor.

Severo no responde porque ya ha muerto,
ni Severiano porque da el último suspiro, ni
Capóforo porque ha perdido el habla, ni tampoco
Victorino porque ha comenzado a oír, a oler
y a mirar un espectáculo que escapa
a la percepción de sus verdugos.

Miguel Otero Silva,
Cuando quiero llorar no lloro (1970)

I

AEROPUERTOS. MUDANZAS. CRIANZAS

Daniel Jiménez se había prometido morir a los treinta y siete años. Hoy, 21 de diciembre de 2001, cumplía treinta y seis veranos australes. A su alrededor, en el aeropuerto de Ezeiza (Buenos Aires), en salidas —una inmensa habitación blanca, como los pasillos inciertos de la muerte o del futuro—, sólo se veían números. Números de personas, números de equipajes, números de anuncios o números de pesos convertibles a la paridad de un peso un dólar: cambio que apenas se formulaba ya resultaba totalmente irreal.

Daniel había vuelto a Ezeiza para ver a la gente partir. En los meses previos a su cumpleaños, esta divertida ocurrencia, nacida de alguna apuesta ridícula en algún *chill out* de la ciudad, se había vuelto una obsesión. Acudía a esta misma esquina para mirar cómo facturaban sus equipajes los que podían abandonar el país en crisis.

11

Ninguno de ellos, sin embargo, se detenía un instante a observar a su alrededor aquel entramado de ingeniería, aluminio, cristal y granito; aquel compendio construido con la riqueza que en los años noventa hizo de Argentina la nación más poderosa del cono sur.

No miraban. Ni lo miraban a él, con su camisa sahariana, sandalias rojas, pelo negro cortado en capas asimétricas y detenido —sin equipaje alguno— ante el mostrador de facturación para el vuelo de Iberia con destino a Madrid.

En el bullicio silencioso que le sobrecogía, Daniel pensaba que jamás tomaría ese vuelo para huir de un Buenos Aires en hundimiento. No a Madrid, sino a Helsinki o a Copenhage, ciudades que, como la propia Buenos Aires, habían recibido la bendición de su *biblia de biblias*, la revista moderna y amanerada *Wallpaper*: compraba los ejemplares a precio de oro en un kiosco de la calle Rivadavia y los archivaba, mes tras mes, año tras año, desde el 98 del siglo pasado, en su habitación del piso que compartía con Sergio y Bárbara. Como tesoros contaba, además, con una chaqueta de Dries Van Noten y una colonia sin abrir de Helmut Lang, pero la colección de *Wallpapers* era su Biblioteca de Alejandría. Incluso un chico gringo, que pululaba por El Dorado buscando jovencitos morenos, quiso comprársela en dólares de verdad. Daniel dijo no, y aquella noche —recordaba ahora con una sonrisa— se despertó orgulloso de sí mismo al ver todos los ejemplares perfectamente organizados: abriles, mayos, octubres y diciembres, cómo no, uno encima del otro.

«Treinta y seis años», deseaba gritar. Una señora gorda, con un pesado zorro de esos que visten para ir al teatro Colón, subía una maleta enorme al mostrador. «Treinta y seis años», quería gritar Daniel, mientras veía alejarse de la ciudad a decenas de especuladores que habían vendido el país hasta el extremo de no poder vivir en él. Miraba la balanza donde se pesan las maletas y leía: cuarenta y siete kilos. «Hija de puta, viaja en turista con más números que su propia edad.» Cuarenta y siete años, que de cumplir su promesa, él jamás vería. Diez años más de una vida incierta en la capital de la mentira y la desconfianza. ¿Diez años más de peronistas? ¿Más bodas de hijas de ministro en una economía desdibujada? El casamiento de la hija del superministro que inventó la paridad había costado más de medio millón de dólares. Y justo una semana antes se había anunciado el «inminente peligro de una posible devaluación». Los invitados, todos de postín, tuvieron que escapar de la muchedumbre enfurecida por la puerta trasera de la iglesia. Luego se refugiarían en el hotel Alvear, donde se celebraría el banquete, con los novios todavía atrapados en la iglesia y retrasando el inicio de la fiesta. Daniel Jiménez recordaba cada detalle y cada coma de aquella noticia. En esa Argentina de descamisados, de comedia musical o de nuevos ricos, nunca antes un evento de la alta sociedad se había convertido en enfrentamiento. Y él, Daniel, estuvo allí. Entre los manifestantes. Sin decir palabra. Con los ojos pendientes de unos invitados que huían aferrados a sus bolsos y collares, que corrían con dificultad los escasos metros que separan la iglesia del hotel, que se detenían sólo ante los micros de las reporteras sociales para escupir amenazas: «Pobres extremistas, desempleados que han arruinado para siempre un día tan bonito y señalado».

Daniel recordaba todo esto mientras la nada se movía en el blanco sin sombra del aeropuerto. Recordar y luego hilar con el presente todo lo recordado era su pasatiempo favorito. Incluso su único talento verdadero. Estos viajeros, apresurados, embutiendo zorros en maletas de verano, no fueron los invitados de esa fiesta, pero sí se habían enriquecido gracias a la paridad que el ministro-padre de la novia creó para ellos. Hoy, como el día de la boda, Daniel tampoco podía abrir la boca. Seguía sintiendo el mismo aire caliente en su garganta. «¿Cuántos años más de esta mierda tengo que vivir? Si éste es mi último año, ¿por qué no tengo los huevos de cruzar el mostrador y avanzar, avanzar hacia el avión, entrar en turista, girar hacia *business* y sentarme en uno de esos asientos-cama sin billete alguno y esperar a que el destino pestañee dos veces y esparza los polvos mágicos que permitan que la vida me lleve a otra parte, a otra vida, a otra ciudad aunque no haya sido festejada por *Wallpaper?*»

Pero el destino, como todo el mundo sabe, se ha olvidado de Argentina. Sobre todo, se ha olvidado de Buenos Aires y de los que han nacido allí. El destino, que siempre fue azar, juega a reñir con los eternos inadaptados de Occidente. «Nosotros, que hemos sido europeos, gringos y sudacas, todo en uno», le decía Bárbara cada noche mientras liaba el último porro antes de dormir. Y el destino, justo en su cumpleaños, no iba a cambiar de modo de pensar. El destino, justo en su cumpleaños, no le iba a facilitar esa pasarela divina hacia el avión que le salvaría de la mierda y lo entregaría al limbo aventurero del desarraigo.

Si sucediera, pensaba Daniel observando cómo la señora del zorro discutía su exceso de equipaje con el operador de la aerolínea española, ¿hacia dónde iría cuando aterrizara en Madrid? ¿A la Puerta del Sol? ¿Al Corte Inglés de la calle Princesa? A lo mejor el azar, ese destino de pestañas impasibles, le permitía conocer a alguien rico, bueno, lector de *Wallpaper*, que lo acogiera en su casa. Pero, ¿y luego qué? Tendría que dejarse amar para disponer de una casa en una capital europea que no le entusiasmaba especialmente. Él, que jamás se dejó tocar por ninguno de esos gays babosos que esperaban a que le subieran las pastillas en las noches de El Dorado. ¿Se enamoraría él, Daniel Jiménez, el morocho de ojos color miel incapaz de dejarse seducir por nadie, ni hombre, ni mujer? ¿O se enamoraría para tener algún patrimonio con el que volverse a marchar a otra casa, a otra ciudad reseñada en *Wallpaper* o a otro aeropuerto firmado por algún afamado arquitecto? Porque, cuando huyes de tu país, ¿no se empeña el destino en hacerte huir el resto de tu vida? «Y si mi vida va a durar sólo un año más, ¿para qué subir por esa escalera mecánica y avanzar, avanzar, avanzar hacia el avión?»

Miraba ahora las escaleras del piso superior y el acceso a la aduana, la frontera arquitectónica entre su Buenos Aires depauperado y el espacio de nubes y aviones hacia países ricos. «Bueno, también pueden llevarte a Brasil —le recordaba siempre Bárbara—. O aún peor, a Lima.» «Pero, Bárbara —le decía Daniel—, ¿todavía no te diste cuenta de que incluso Lima es mejor que Buenos Aires?»

Subió las escaleras observando el borde de cada uno de los escalones mecánicos. Desde niño recordaba a su madre aterrada por la idea de perder el equilibrio entre la peligrosa hilera de dientecillos metálicos. Su madre —habló con ella la noche anterior en su casa de Trenque Lauquen, en plena pampa seca— le dijo que había redescubierto el verdadero sabor del mate y de las estrellas. ¿Así terminaría él si no cumplía su promesa de morir a los treinta y siete años, mirando un cielo siempre hermoso mientras aquí todo se hunde sin remedio?

Volviendo la vista a los peldaños mecánicos, vio sobre ellos una tarjeta, el extremo de algo impreso. Aproximó sus dedos, justo antes de llegar al final de la escalera. Una tarjeta de embarque.

¡Una tarjeta de embarque! Sarmiento, Consuelo, asiento 34D, no fumadores, vuelo 0069 a Madrid, Iberia. Miró hacia abajo y observó a la señora del zorro, nerviosa, muy nerviosa. Hablaba con otra pasajera que sí sostenía su tarjeta de embarque en la mano. El zorro colgaba de su brazo gordo y corrupto. «Hija de puta —logró, al fin, maldecir Daniel—, seguro que tu marido trabaja en Telefónica o en algún banco comprado por españoles. Seguro que por haber ganado unos dólares y

16

haber visitado Madrid o Sevilla ya crees que vas a conseguir rehacer tu vida allí sin ningún problema. Y encima, tan gorda, tan flácida y tan preocupada por tu zorro y tus carnes colgantes en ese ajuar de hace dos veranos. Pero dejaste caer la tarjeta de embarque.» Sí, ahí estaba, en las manos de Daniel, como una jugarreta deliciosa del destino.

Pero Daniel no podía viajar como Consuelo Sarmiento, nombre, por lo demás, hermoso para tan pesada y sudorosa pasajera. A Daniel ese nombre le recordó el de Constancio C. Vigil padre, el mítico editor de la revista *Billiken*, con la que creció y aprendió, precisamente, a coleccionar revistas. *Billiken* y su entrega semanal de Tintín. *Billiken* y las aventuras de la Hormiguita Viajera, la amiga más fiel de los mariquitas nacidos en el sesenta y cinco, como le descubrió Bárbara. «Dios mío, Bárbara... ¿Podré vivir en Madrid sin vos?» *Billiken* y su adoración por el Obelisco, orgulloso, pálido y egipcio en medio de la nada, en el final del mundo, en Buenos Aires.

La tarjeta temblaba en sus manos. Si anduviera de determinada manera, si mirara bien al oficial de la aduana, si sostuviera con firmeza su pasaporte (que siempre llevaba encima), si actuara con normalidad..., podría llegar hasta ese asiento infernal, 34D, pasillo centro, donde la auténtica Consuelo Sarmiento se aprestaría a vivir catorce horas de viaje aprisionada junto a otro u otra porteña, también vestida de verano, también sudorosa y también quejándose de la mala comida de la línea española, así como del tufo a sudor. Olores corpora-

17

les de países en quiebra y de países con economías saneadas..., todos encerrados en la estrechez democrática de la clase turista.

El policía vería en el pasaporte su nombre y su aspecto de hombre —aunque con corte de pelo asimétrico—, en absoluto coincidente con el de la señora Sarmiento, dueña de un abrigo de zorro espacioso. Pero, claro, solamente él, Daniel, sabía quién era la auténtica señora Sarmiento. Si Daniel tuviera la suficiente habilidad para hablar y distraer al agente que toma el sello y lo estampa con fuerza... Mejor aún, si alguien le hablara e interrumpiese el aislamiento en el que prefiere refugiarse para un trabajo tan mecánico...

Asió la tarjeta de embarque, abrió su pasaporte sorprendentemente nuevo —lo había renovado pocos meses antes— y se dejó invadir por una sonrisa. Desde que le dio por venir a Ezeiza, contaba con un resplandeciente y nuevo pasaporte de la República Argentina para el también nuevo y resplandeciente siglo XXI. Metió la tarjeta de embarque en su interior y se colocó en la fila de pasajeros. Desde allí se giró para ver de nuevo a la auténtica Consuelo Sarmiento, que subía la escalera mecánica, al lado de su amiga, siempre conversando y siempre con ese zorro mayor que ella colgando de su brazo de corrupta argentina.

Era su turno. Miró más allá del agente. Vio, al fondo, delante de los aviones que cargaban el combustible para cruzar el Atlántico, una pared, un muro, una frontera entera hecha con cientos de fotografías de Susana Giménez en la portada de su libro biográfico en imágenes.

18

La mente de Daniel, repleta de datos, nombres, rostros —esa perfecta maquinaria de asociaciones imposibles—, era aún más eficaz que el destino que le empujaba a cometer una locura. Susana Giménez, ella, *Su*, el diminutivo con el que era conocida la Giménez con G, la reina, su reina. Tan argentina, tan porteña, tan orgullosa y tan vencida como él mismo. Todo el país en una sola mujer. Dueña invencible del *rating*, de una vida loca cuajada de hombres y avatares. Susana Giménez, con su indomable melena rubia y su giro antigravedad. Susana Giménez, vedette de la mítica calle Corrientes. La enamorada esposa de Carlos Monzón, el primer peso medio del boxeo latinoamericano, el amigo de Alain Delon. *Su*, la que supo guardar silencio como una señora cuando Monzón fue acusado de lanzar al vacío a su tercera mujer. *Su*, de nuevo casada con el jugador de polo Roviralta, cara de chulo, más joven que ella, sin un mango y ella regalándole Mercedes comprados en la paridad peso-dólar. Toda ella peronista, menemista, radical, de la Argentina de Mafalda a la hiperinflación y al perdón a los carapintada. La misma mujer, distinto maquillaje, nuevos vestuarios. La misma melena hegemonizando todo un sentir. Allí estaba, en la interminable muralla de libros, invitándole a arriesgarse, deseando convertirse en la última cosa realmente argentina que viera Daniel antes de embarcar.

19

Andrés lanzó su bolso de viaje a un rincón del apartamento sin amueblar situado entre la Quinta y Washington. Moqueta blanca, sofá blanco, cocina blanca con todo tipo de accesorios blancos. «¿Es tu casa o la de Jean Harlow en los años treinta?», le preguntaban algunos amigos supuestamente cinéfilos. Encendió su móvil, marcó un número, esperó y miró, siempre de reojo, el agua del Atlántico bajo su balcón.

—¿Doctor Cortezo? —preguntó.

—Caramba, Andrés, ¿dónde estás? ¿Sabes qué hora es?

—Lo siento, acabo de llegar de España y veo que todavía no es demasiado tarde.

—Son las cuatro y media. Estoy jugando al golf. ¿Qué ha sucedido? Ante todo, bienvenido a Miami.

—Creo que he vuelto a coger ladillas.

—No hace falta llamar al doctor para esa enfermedad.

—Usted también es mi psicólogo, y necesito decirle algo. Es demasiado casual que sea justo hoy, el día de mi cumpleaños, 21 de diciembre de 2001. Treinta y seis años, además.

—Felicidades, Andrés. Mañana ordenaré a Brooks Brothers que te envíen una buena camisa blanca. Respecto a las ladillas, no deberías preocuparte: necesitan al menos veinticuatro horas para incubarse. Quiero decir que es diferente que te salgan el día de tu cumpleaños a que las pilles...

—Lo que pasa es que cada doce años tengo ladillas.

—Es una buena estadística.

—Y cada doce años mi vida ha dado un cambio.

—Continúa siendo una buena estadística, Andrés. Oye, estoy en un hoyo muy difícil y no estamos autorizados a llevar móviles en este club. Además, tu próxima cita es el martes a las seis de la tarde. Por cierto, ¿y tu nuevo apartamento?

—Los muebles llegarán mañana. Doctor, es importante. Es demasiada casualidad. La primera vez fue en el año 77, coincidiendo con el estreno mundial de *Fiebre del sábado noche*.

—Excelente película que la crítica no entendió en su tiempo.

—La segunda vez, doce años después, en el 89, poco antes de la caída del muro de Berlín.

—Andrés, se acerca el director del club.

—Y la tercera, hoy. Tengo miedo de que pueda suceder algo importante. O de que si no sucede, éste sea entonces el peor año de mi vida. ¿Doctor Cortezo? ¿Doctor Cortezo?

Andrés fue hacia el baño caminando con una nalga ligeramente más baja que la otra; una forma de andar que en el colegio le había hecho quedar como un mariquita perdido y que ahora, a sus reconocidos treinta y seis años, era el colmo de lo sexy. Las ejecutivas de televisión que conocía de los innumerables festivales por el mundo caían rendidas ante ese encanto. Se rió, mirándose en los espejos. Poseía un cierto atractivo. El pelo despeinado. Sus pequeños ojos brillantes. La camisa blanca ligeramente desabrochada y remangada con los puños hacia fuera. El pantalón negro y las botas de *chúpame la punta*. Al quitárselas vio sus calcetines arlequín

21

castigados por unos tomates. Y eso que en Praga, en el último festival de formatos revolucionarios para televisión, se había hecho la manicura y la pedicura en el *spa* del hotel Western Occidental. Miró el mueble que él mismo había diseñado para el lavabo y observó que los tapones del agua no funcionaban. «Mierda, esta casa nunca estará lista.» Descubrió una nota de Victoria, su arquitecta: «No desesperes. *Everything will be done by Monday*». La cogió, la arrugó y la lanzó al váter. Ojalá tuviera una papelera especial para contabilizar las notas de Victoria.

Se dio una ducha y se volvió a mirar de reojo en el espejo del lavabo. Allí estaba, a sus treinta y seis años, con setenta y tres kilos de peso y, todavía, con esos fantásticos hoyuelos en sus nalgas que tanto deleite provocaban. Sonrió, pícaro, como hacía en las negociaciones de sus programas de televisión, acentuando su atractivo tanto para hombres como para mujeres. Los espejos se empañaban y abrió una pequeña ventana desde donde se veía su Miami particular: una parcela de casas en construcción, todas con la misma piscina en forma de riñón años cincuenta. Casas restauradas al gusto de los nuevos inquilinos, seguramente altos ejecutivos menores que él, deseosos de tener un *look* cinéfilo en alguna parte de sus domicilios. ¿Y qué mejor y más Miami que la piscina? Una tenía mosaicos en tonos malvas y azules. Otra, en blanco nuclear. «¡Cuando esté lista será un arma contra mis ojos!» La de la izquierda contaba con un *graffiti* neoyorquino. «¡Relevante!», como había oído a unos niños en la calle ocho. Detrás de cada piscina estaban las casas. Todas diferentes. Una, con aspecto de *bungalow*, una sola planta y la pared del salón de cristal deslizante. Aún sin muebles. A la derecha, otra. Dos plantas, una curiosa escalera central dando vueltas sobre sí misma y cocina de lujo al fondo. Demasiado sofisticada. La de la izquierda mostraba dos plantas con sus respectivas barandillas. Abajo, el salón se abría al jardín a través de elegantes *french doors* de color marfil. Arriba, otro par de *french doors* escondían dos grandes habitaciones. Antes de llegar a la piscina, dos palmeras terminaban por enmarcar el patio. Elevó su mirada y, como siempre, alcanzó a ver Ocean Drive y el Atlántico rompiendo olas suaves en la orilla de una ciudad donde nada, nada era suave.

Con el grifo cerrado, comprobando que le gustaban los mosaicos romanos de su bañera, descubrió en el espejo otra nota de Victoria: «Recuerda lo afortunado que eres». Claro que lo recordaba. Sobre todo, reconociendo que su dinero y su éxito internacional se los debía a un par de ideas brillantes que tuvieron la suerte de volverse programas de éxito en un mundo cada vez más similar. Lo que gusta a los holandeses también gusta a los españoles. Sólo hay que cambiar algunas palabras y hacer creer a ambos que aquello es completamente suyo. Y lo mismo empezaba a suceder en esta América de las oportunidades. La televisión era, sin duda, el gran parlamento del mundo, la verdadera ONU. Y él, Andrés Salgado, treinta y seis años, soltero, curioso, dispuesto y simpático, era su presidente incapaz de vender una idea equivocada.

23

Por eso volvió a sonreír cuando sintió el picor que le provocaban las ladillas. Al menos le humanizaban. Ni un solo envase de champú antiparasitario en los cajones del lavabo. Nuevas notas de Victoria: «Arreglarán los rieles para que no suenen al abrirse y al cerrarse». «No te asustes por el olor a trementina». Y la picazón devorándole la entrepierna. De nuevo en el espejo se observó rascándose y estalló en carcajadas. Como un animal, el hombre de más éxito entre sus amigos, incluso de su generación, reducido a un simio sucio aunque duchado con los mejores jabones del mundo occidental.

Y así, saltando como un primate, Andrés recordó lo que olvidó contar al doctor Cortezo o a ninguno de sus anteriores psicólogos. Se había jurado vivir hasta los treinta y siete años.

Rodrigo escuchó a su hija Jimena llegar de clase. Temió que se presentara en su despacho con esa tarjeta de cumpleaños que los colegios privados se empeñan en que las hijas regalen a sus padres.

—Papá... Feliz cumpleaños.

Jimena colocó su bolsa con esa característica disciplina que su padre sospechaba había heredado de él. La abrió y extrajo la felicitación. Jimena se giró hacia él con una extraña sonrisa.

—Como no te gustan, te la entrego vacía —dijo, eliminando la sonrisa y adoptando esa sobriedad adecuada para los momentos serios.

—Pero te reñirá la profesora García.

—A ella le enseñé otra con una foto del abuelo que cogí del periódico. Y como es tan pedante y despistada, no se dio ni cuenta.

—¿Qué significa exactamente pedante, Jimena? —preguntó Rodrigo, acostumbrado a que su hija le transmitiera señales de su muy precoz inteligencia.

—Cursi. Tonta. A mí tampoco me gustaría que un hijo mío me recordara mi cumpleaños, papá. Te comprendo perfectamente.

—No es que me moleste...

—Además, faltando tres días para Navidad, la verdad..., es bastante incordio. ¿De pequeño te regalaban dos veces?

—Ya sabes la respuesta, Jimena. Tu abuelo nunca recordaba una fecha.

—Curioso entonces que yo tenga tanta habilidad para recordarlas. Es más, hoy he estado pensando en lo que suman los números 1965.

—Otra vez te has quedado viendo esos programas de astrología, Jimena. Tendré que decírselo a tu madre.

—No hables así, que te pones muy serio.

—Mi hija me gusta más cuando resuelve misterios matemáticos a los nueve años que cuando se presta a creer esas tonterías de la televisión a medianoche.

—Se lo escuché decir a Graciela y a mamá la otra noche.

—Al parecer tu mamá se aburre mucho —dijo Rodrigo.

—Ése es también problema tuyo, ¿o no?

—¿Qué te dijeron de los números?

—Bueno, una tontería, claro. Estaban charlando mientras hacía los deberes de la clase de pintura. Graciela insistía en que cada persona tiene un número y que la numerología...

—Ya lo sé: es mucho más fiable que la astrología común. He escuchado varias veces esa conversación con Graciela.

—Pues yo me quedé pensando en los números de tu fecha de cumpleaños...

—¿Y por qué no lo hiciste con los tuyos?

—Porque a mí no me preocupa todavía la edad que tengo.

Rodrigo respiró hondo. Hablar con su hija de nueve años era como jugar una partida de ajedrez. Nunca sabía cuándo la cría ejecutaría su jaque mate.

—¿Quieres que continúe?

—Sí, Jimena, no tengo escapatoria.

—Bueno, sabes que tienes que sumar todos los números de tu fecha de nacimiento...

—21 del doce de 1965 —dijo Rodrigo mirándola a la cara. Era una niña muy seria con unos ojos tan vivos como los de su madre, verdes, claros, intensos. La boca pequeña, igual que él, pero con los labios abultados. Muy inteligente, no, mejor dicho, muy precoz. Y, por si fuera poco, bonita. «Jimena, Jimena no cambies, pero tampoco sufras.» Ésas eran las palabras que soñaba y

26

soñaba cada noche desde que estos diálogos entre padre e hija se hicieron frecuentes. «O, si vas a sufrir, que lo sepas cuanto antes.»

—¿Me estás oyendo, papá?

—No, estaba pensando en ti.

—De eso hablaremos luego. Volvamos. Lo maravilloso de la numerología es que siempre sumas, nunca restas. Yo lo encuentro muy optimista. Se supone que sumar es mucho mejor que restar. ¿No es así?

—Sí. Pero no todo lo bueno tiene que ser bueno siempre. Creo yo. En la vida, unas veces hay que sumar y otras hay que restar.

—Pero esto es así: sólo sumas. Veintiuno es dos más uno y, por tanto, tres. Doce se convierte también en tres. Y 1965 se transforma en veintiuno y, finalmente, en tres.

—Entonces, si sumamos todo, el resultado final es nueve. Tu edad, Jimena.

—Que es el número principio de todo. También es el centro de todo —dijo excitada por sus propias metáforas—. Es el número de las personas optimistas, valerosas, pero, sobre todo, es el número del líder.

—Pues gracias por tu análisis —dijo Rodrigo.

—Luego he estado pensando en el número encerrado en 1965. El veintiuno.

—¿Y?

—¿No te das cuenta? Es el nuevo siglo, papá. Veintiuno. Es, yo creo, el mejor regalo de cumpleaños que podría ofrecerte. Que tu año de nacimiento encierra el siglo en que vivimos. Que estás predestinado. O, mejor aún, que el destino ya te hizo suyo al otorgarte en tu año de nacimiento el siglo donde desarrollarás lo mejor de ti.

Ambos guardaron silencio un momento y miraron por la ventana. Nevaba. Nieve sobre las Salesas en Madrid. Rodrigo, que nació en Barcelona, siempre agradeció la suerte de encontrar una casa cerca de esa iglesia. Y ahora, los dos, padre e hija, conteniendo el llanto por algo que no podían explicar, pasaron por alto que la nieve caía también sobre las flores aún frescas de una boda recién celebrada. Como diría el padre de Rodrigo, «En Madrid siempre hay buen tiempo para bodas, bautizos y comuniones». «Y entierros, papá», dijo Rodrigo en aquel momento desde su silencio. El mío, seguramente, dentro de un año.

Rodrigo abrazó a su hija.

—Eres lo mejor de mi vida, Jimena.

II

31 DE DICIEMBRE DE 2001

—¡Estás loco, idiota! ¡Maricón! ¿Por la Giménez has vuelto a quedarte en esta podrida Argentina? —Bárbara hablaba deprisa, como si en realidad no le importara ninguna de sus palabras. Daniel miraba el Congreso Nacional, en la calle Rivadavia, con los enormes cóndores de hierro con las alas desplegadas. Era el gran privilegio de esa casa ruinosa. La nevera que hacía ruidos. La gotera permanente de la vieja calefacción. Y Bárbara, la amiga y compañera de piso, haciendo canutos y separando pastillas de colores sucios en bolsitas de plástico.

—¿No me estás oyendo, maricón?

—Bárbara, no me llames maricón.

—Es que me ponés frenética, Daniel. Lo habrías conseguido. Con esa tarjeta de embarque en la mano, allí, en la mismísima aduana...

—No me llamo Consuelo Sarmiento. No hay nada en mi cara, ni en mi pasaporte que me haga remotamente parecido a esa mujer. Soy un hombre alto, delgado, moreno, de ojos muy negros, pestañas, esta nariz romana y... una buena polla. ¿Cómo querés que con todo eso pase por Consuelo Sarmiento?

—Polla que, por cierto, llevas sin utilizar casi tantos años como los que llevamos con la paridad —hubo un silencio. Daniel detestaba que Bárbara, precisamente Bárbara, hablara así de su promesa de celibato—. Y, por favor, no digas tonterías: sabés perfectamente —prosiguió ella— que esos idiotas del aeropuerto no se fijan en ningún pasaporte. La última vez que viajé a Suiza sólo se interesaron por mi sonrisa. Y yo con las doscientas *mitsubishis* en mi bolso. ¡Joder! Qué bien hemos viajado con la paridad.

—Para eso sirvió. Para llevar pastillas porteñas a Europa.

—Bueno, estás de mal humor. No quería ofenderte, Dan. Lo que ocurre es que me parece absurdo que sea la Giménez, ahí en la portada de su biografía, toda operada, toda falsa, la que te haya detenido. Ibas con toda la energía y, de repente, el azar se alía con vos: el tipo de la aduana no habría mirado la foto, ni la tarjeta de embarque, y en el avión nadie se habría preocupado y habrías viajado bárbaro...

—No me gusta que digas que la Giménez está toda operada.

—Sí, bueno. No te ofendo más. En Argentina, en estos diez años de paridad, quien no esté operado no puede levantar la mano..., porque se la habrá operado también.

Daniel regresó al balcón. De nuevo la grandiosa visión de una ciudad que, pese a sus avatares, jamás deja de fascinar. Nunca pudo compararla con una gran dama, porque siempre le pareció joven. Era como una inmensa manta hecha de retales adquiridos, robados o cosidos sin mucho esfuerzo. El Obelisco de la avenida Nueve de Julio como señal de un Egipto descolocado. El propio Congreso de la Nación: una copia pomposa y visceral del teatro de la Ópera de París. Las débiles luces de la ciudad, con apagones cada hora antes de la llegada del menemismo, le daban ese aspecto de Viena de entreguerras que Daniel consideraba la mejor descripción de Buenos Aires. Unos metros más allá, la mansión que alojaba al Colegio de Ingenieros tenía el empaque de una casa victoriana. A su lado, la rococó y muy gala embajada francesa. Esa visión provocaba risa: algo así como si Argentina se hubiera empeñado en restregarle a Europa su capacidad innata para volverse espejo. Palacios más europeos que los auténticos. Vienas con más trozos de París. Barcelonas sin pobres. Madrides sin miedo a las invasiones culturales. ¡Ésa era la belleza de su ciudad! De esa inmensa manta hecha de retales.

Mientras Bárbara se duchaba, Daniel sintió que la tristeza se iba apoderando de él. El agua de la ducha escaseaba. Gotas de un racionamiento que evidenciaba el poco dinero de una economía que se hunde. Las paredes empezaban a desconcharse más y más. Lo que fuera un marfil semivienés se aproximaba al color de un

31

huevo abandonado. Seguramente se pondría de moda en cualquier momento y lo vería descrito en las páginas del *Wallpaper*. Color huevo triste. El color de una crisis que iba más allá de lo económico y se instalaba, apestoso, en lo personal. El color de un país que se despierta, a lo largo de esa larguísima y última semana de 2001, desterrado en el hedor de la pobreza.

Desde el balcón se veía a la gente camino de sus fiestas de año nuevo. Dios aprieta, pero no ahoga. ¡Todavía se celebraban! Y él mismo, junto a Bárbara, iría a la de El Dorado. Allí les esperaba Sergio colocando los *finishing touches* para la última fiesta del año en un local que cumplía diez años de noches porteñas

No. No se iba a entregar al recuerdo de aquella inauguración —la inauguración de El Dorado—, con la misma Susana Giménez y su marido entrando en pleno auge de *drag queens,* bohemios, Cecilia Roth, escritores e hijos de fortunas perdidas. Todos bailando bajo el techo de una cocina habilitada para el baile y enteramente cubierta por caras famosas arrancadas de publicaciones *chic,* revistas baratas y fotonovelas de chachas ¡Una idea suya! Una idea que le valió el título de «decorador *hip* y *darling* en fiestas donde no sólo se baila, sino que se crean estilos que transforman la noche de Buenos Aires». Así lo había definido Bárbara en su columna del *Clarín*. De todo eso hacía hoy diez años.

Y hoy, Daniel, en el balcón, miraba el Congreso y observaba a los varones porteños. Siempre guapos. Rubios o morenos. De ojos intensos y piel dura pero suave. Piernas recias de jugar al fútbol desde la infancia. La planta del pie pisando firme como si estuvieran conquistando La Florida. Un guiño de vanidad italiana que se peina la melena con ambas manos. Todo ello mezclado con un ligero toque de romano gay, de machismo católico en cada gesto. Y sonriendo con dentaduras blancas ante una noche a medio iluminar, como negros que observan el hambre de un África inesperada.

Pronto reapareció en su cabeza la conclusión de siempre: Daniel, hablas de ciudades que nunca has conocido. Vives uniendo referencias arbitrariamente. Y no sabes aún si esos hombres de verdad te excitan.

Bárbara seguía en la ducha de la gota única y fría, fruto de facturas de electricidad sin pagar; fruto de un nuevo estilo de vida que consiste en alargar al máximo la legalidad. Si Bárbara vendía bien sus pastillas en la fiesta de El Dorado, pagarían la cuenta del agua y de la luz. El teléfono era otra cosa. Sus celulares de tarjeta prepagada se transmutaron en celulares de tarjetas robadas. Y eso, robar, es lo que ella tendría que hacer a los españoles o a los chilenos que todavía se dejaban camelar por sus impresionantes ojos y su aspecto detenido en los treinta y dos años que, felizmente, declaraba.

Pobres Bárbara, Daniel y también esos jóvenes diez años menores..., todos recorriendo una noche de luz mortecina. Aún bellos y herederos de la gran mezcla de culturas en el fin del mundo. Y mientras tanto, Buenos Aires seguía luchando por ofrecer al destino y a la desgracia el aspecto juvenil que Daniel sentía escapar para siempre esa última noche del año 2001.

Daniel quería comenzar la fiesta de año nuevo con éxitos antiguos de Eurovisión, pero Bárbara, con cierta aspereza, le hizo ver que ningún argentino conocía el denominado concurso gay tan bien como él.

—Es lo que me hace diferente. Además, Bar, si tanto decimos que somos europeos en vez de subdesarrollados sudacas, ¿cómo no conocemos a los ganadores de Eurovisión?

En realidad, a Bárbara sólo le preocupaba rellenar sus bolsitas de *new year bliss* con dos tipos de *mitsubishis*, un *pac man* (qué divertido nombre para una pastilla de ácido, ese juego de betamax que todo el mundo había olvidado) y un poco de cocaína adulterada al máximo.

—Van a empezar a llamarte Doctora Muerte, Bar.

—O la nueva Duhalde —bromeó, atinada, Bárbara—. Y respecto a tu mariconada de Eurovisión, no quiero quedar como la peor al decírtelo..., pero empiezan a suceder suficientes cosas serias en este país como para que puedas salir adelante con tus frivolidades.

—¡¿Frivolidades?! ¿Qué frivolidades?

—Estás perdiendo el tiempo al impresionar a quién sabe quién con tus conocimientos en Eurovisión. Además, ¿a quién le importa todo esto si éste será el último año nuevo que celebraremos en El Dorado, Daniel?

—¿Sergio va a cerrarlo para volver a abrirlo con otra gran inauguración?

Bárbara se tomó tiempo antes de seguir hablando. Daniel sintió un escalofrío.

—Sergio y yo nos marchamos a España, cuando cerremos el local después de la fiesta. En el vuelo de Iberia de las 13:45.

—¿Quééééééé...?

—No quisiste colarte porque «*Su me lo impidió*» —dijo ella imitando su voz nasal de mariquita imbécil.

—¡¿Cuándo planificaron todo esto?! —se agitó Daniel, completamente masculino.

—Cuando Sergio obtuvo el pasaporte comunitario y yo un visado de trabajo.

—¿A vos te aceptaron un visado de trabajo en España?

—Soy periodista, Daniel. No lo olvides.

—Sí, ya lo sé. Mirá qué titular: «Periodista, a raíz de un artículo sobre las mafias pastilleras en Buenos Aires, se gana la vida como camella regia».

La sonora bofetada de Bárbara hizo que varios *mitsubishis* cayeran al suelo. Dolorido, escuchando todavía el sonido de la hostia y de sus propias palabras, Daniel se asombró aún más de la rapidez con la que Bar se arrojaba sobre las saltarinas *mitsubishis* y volvía a colocarlas en sus bolsitas.

«Hijos de puta, hijos de puta.» Mientras él iba cada mañana a hacer su cotidiana *tournée* de consulados europeos en busca de un visado, a ser posible escandinavo, Bar y Sergio, las únicas personas importantes para él en la inmensidad de Buenos Aires, conseguían la documentación y pactaban irse ellos solos. Y él, que tantas fiestas de El Dorado animó conectando en directo con el programa televisivo de *Su*; él, que les enseñó a caminar mejor que Naomi y Cindy; él, que incluso ingenió un espectáculo de delirio *kitsch* cuando unas *top models* visitaron El Dorado; él, que fue siempre «el indispensable», «míster información»; él, Daniel, el Moisés del *Wallpaper*, era el primer bulto que arrojaban para que el globo subiera ligero y diera una vuelta al mundo sin retorno.

Acudió a El Dorado solo. Irigoyen e Irigoyen, la calle de dos héroes de la patria. Allí, un 31 de diciembre de 1991, Sergio y él decidieron abrir las puertas del local. La pintura sin secar. Las cortinas aún escupiendo gases de naftalina. Y la cola, con la que habían pegado miles y miles de páginas arrancadas de *vogues*, *prontos* de extraperlo y *vanity fairs* de colección, cayendo desde el inmenso techo de la cocina como goteras. O, aún peor, desprendiéndose de las imágenes atrapadas en su inmortalidad, como el verdadero sudor pegajoso de esos mitos nostálgicos.

Sergio, hace diez años, no era bello. Tampoco demasiado diligente. No tenía claro lo que deseaba ser, pero Daniel vio en él un espejo. Todos sus amigos volvieron a decirle lo mismo: «Siempre que te enamoras ves un espejo, Narciso. Deformación profesional. Es evidente que te dedicas a coleccionar espejos». Pero sus amigos se equivocaban: Daniel no se enamoraba, aunque lo pareciera. Y aunque su ambigüedad o su excesiva belleza masculina lo definieran como gay, no sentía ni sentiría en sus órganos el golpe, el agujero en el estómago que creía necesario para llamar «amor» a ese sentimiento. No lo sintió con Sergio cuando decidió convertirlo en algo más que un amigo, en una especie de segunda piel. Sí lo vivió, sin embargo, con Bárbara, pero más adelante, cuando ella hizo de su amistad un *Jules et Jim* sin sexo, con drogas y con todas las fiestas de El Dorado sirviéndoles de marco para crearse una ciudad, una política, un universo dentro de Buenos Aires.

El espejo de Sergio era diferente: reflejaba todo lo que Daniel no se atrevía a desarrollar. Siendo Daniel un tipo con talento, Sergio, sin embargo, tenía la chispa del que se sabe estrella. Desaliñado y con mucho éxito entre las damas de buen gusto que poco a poco fueron poblando El Dorado, Sergio decoraba las fiestas más extravagantes; fiestas delirantes con una nutrida dosis de transgresión en Buenos Aires; un Buenos Aires que había hecho de la palabra un mantra para ser más europeo que las propias ciudades europeas, más *cool* que todo lo *cool*, y más rico y más decadente que el Berlín de entreguerras.

Daniel no olvidaba la primera aparición de Sergio en el programa televisivo de Tete Custarot para hablar del «fenómeno El Dorado». Se presentó en el plató con un sari cortado por cuchillas de afeitar; debajo, unos vaqueros asquerosamente sucios (no se los cambió durante el largo proceso de pintar, de negro y verde, el suelo del local); un pañuelo de baratillo; los ojos de negro con ese lápiz marroquí, cuyo nombre nunca recordaba; y unas sandalias baratas, baratas, baratas, seguramente compradas a los artesanos de La Recoleta.

Apareció así, delante de la señora Custarot, la gran dama de la televisión por cable. Ella lo recibió con una enorme sonrisa. «Sergio Costa, el transgresor, el hombre que ha cambiado la noche argentina. Ahora, en nuestro divino verano, todos yéndonos de vacaciones a la playa, ¿con qué nos sorprenderás en Punta del Este, Serge divino?» Y Serge divino habló como si acabara de tomarse los primeros éxtasis distribuidos en Buenos Aires y triunfó. Triunfó. Trozos de la entrevista fueron retransmitidos en programas nacionales. Incluyendo la propia *Su*, que habló de su noche salvaje en El Dorado «donde todo es esa locura que a los argentinos nos está haciendo más divinos y del primer mundo, che».

A los pocos días apareció Bárbara en sus vidas. Entonces escribía para *Clarín* sobre la noche rioplatense y los jóvenes diseñadores. Tenía un novio. Benjamín se llamaba. Benjamín estaba terminando un ensayo sobre actores de Hollywood que se habían enamorado en hoteles lujosos de Buenos Aires. Fue justamente la cultura frívola de Daniel lo que inició esa amistad y propició que Bárbara se convirtiera en la cronista oficial del «fenómeno El Dorado». Todo ocurrió más o menos así. Durante la entrevista que Bárbara les hizo a Sergio y a Daniel, el novio de ésta, Benjamín, que la acompañaba, dijo que Vivien Leigh y Laurence Olivier habían terminado su relación en el argentino hotel Alvear, cuando ella vino a representar la doble función de Cleopatra (Shakespeare y Bernard Shaw). Daniel saltó de su silla plenipotenciaria en el extremo de la cocina, que, desde la inauguración de El Dorado, se había convertido en la zona Vip del establecimiento; seguramente por todas esas figuras que vigilaban desde el techo a los agitados transgresores de la noche capitolina. Saltó y negó con vehemencia. «Fue en Caracas —ladró Daniel—, en el hotel Tamanaco, y nunca representaron esa doble función en nuestro Colón. Ella asistía al Colón sólo para ver una ópera, no para interpretarla. Y ya era novia de ese actorcito por el que dejó a Olivier.» El novio de Bárbara lo llamó, groseramente, maricón, y Sergio, en ese momento y para evitar disturbios, encargó a Daniel que buscara música adecuada: aquella noche, dos estrellas de una telenovela venezolana venían de un concierto de El Puma. La memoria prodigiosa de Daniel archivaba cada detalle, cada dato. Creía que con toda esa información dibujaba un mapa que permitiría a cualquiera entender el siglo que dejábamos atrás y el limbo al que parecíamos dirigirnos. Bárbara, en ese momento, se acercó a él y le preguntó si era mitómano. Daniel respondió que mitómano era un adjetivo para viejos y que él creía necesario y urgente el almacenaje de ese tipo de información. Bárbara insinuó algo sobre la frivolidad de tal planteamiento y Daniel, muy serio, defendió que lo trivial era la herencia más elaborada y original del siglo XX. La historia, como crónica de las guerras, de los golpes de Estado o de los reyes que transformaban países, había quedado enterrada bajo la loza marmórea de la frivolidad. Sorprendida, Bárbara sugirió que escribiera ese pensamiento: ella podría ayudarle a publicarlo. Daniel, sin embargo, aseguró que no deseaba volverse un estudioso de su propia información; sólo quería almacenarla por el único placer de almacenarla. «Eso es ser un vago», espetó Bárbara. Daniel la miró profundamente. Reconoció en ella a la única persona a la que toleraría que le dijera la verdad.

Nunca más se separaron. Al poco tiempo ella rompió con su novio. Al poco tiempo los tres alquilaron el apartamento de Rivadavia.

Nunca más se separaron.

Hasta esta noche.

Las campanadas del 31 de diciembre de 2001 no sonaron. Si existiera una señal de mal agüero, ésa sería la definitiva. Pero en medio de los gritos, serpentinas, abrazos y cacerolazos dentro de El Dorado, sólo Daniel pudo darse cuenta de ello.

En un rincón de la cocina decorada con las personalidades del siglo que se iba para siempre, Daniel luchaba por no arrojar en sus neuronas datos, fechas y rostros célebres. Observó a Sergio vociferar una canción de McNamara, el cantante maldito del pop español con cuyo último disco le habían obsequiado unos clientes modernos de la madre patria: *El cielo abrió mi corazón y entraste tú, más rápido que una bala y con la precisión del bisturí de un cirujano plástico*. Sólo Sergio, que presumía de ser más *in* que nadie, cantaba agitando sus manos e interpretando cada palabra como si estuviera haciendo de Ana Torroja. «Ilusos —masculló Daniel—, cuando lleguen a España descubrirán que sólo ellos recuerdan a Mecano y que McNamara es más superviviente que to-

40

das las estrellas de los ochenta.» La música subió de volumen y él mismo bailó. «En realidad —pensó—, la influencia de Mecano es inabarcable y seguro que Sergio y Bárbara, los muy hijos de puta, en dos meses estarán dando una fiesta para el trío: ellos siempre tuvieron facilidad para encantar a la gente. Hijos de puta. Ni siquiera iba a llamarlos cabrones, como ellos, ahora tan castizos, desearían. Hijos de mierda.»

Miró al techo. *Una semana es un tiempo prudencial para reconocer la nueva realidad*, continuaba la canción, mientras la intentaban tararear algunos de los chicos jóvenes que rodeaban a Sergio. *En el silencio se oye mi voz gritando amor, gritando te quiero. No hay remedio. Ya no hay solución.* Era la última fiesta en El Dorado, la noche en que sus amigos le traicionaban y se volvían unos Judas sin árbol donde colgarse. Los rostros del techo parecían momias de un tiempo desperdiciado. Criaturas de lo inútil. Lo que seguramente siempre fueron, pero que sólo un dolor tan grande como el suyo podía descubrirle.

Abrió la inmensa escalera en mitad de la cocina, mientras Sergio hacía repetir la canción, empeñado en convertirla en mantra de esa última noche del año. Dos metros de escalera y nadie decía nada. «Es parte de un plan: me abandonan y me hacen invisible.» Cogió la antorcha con la que Sergio animaba el final del *show drag* todos los jueves. Podía lanzar una llama de casi un metro de altura. Estaba llena de gas, como le gustaba a Sergio, amante del peligro. La canción volvía a sonar: ... *más rápido que una bala y con la precisión del bisturí de un cirujano plástico...* Lo mismo haría él con el rostro de la Evangelista; por cierto, la primera *top model* que traicionó el arte de entregarse completamente a la belleza; la primera que engordó; la primera que desapareció en amores equivocados.

La llama brilló con la contundencia de un bisturí y con la precisión de una luz asesina. Al lado de Linda estaba Romy Schneider, que ninguno de los clientes de El Dorado reconocía y que también fue arrojada a las llamas. Frenético, admirado por la destrucción que ejercía sobre su propia creación, Daniel daba forma a otra obra de pirotecnia arriesgada. El techo ardía como un castigo y con una moraleja final: detrás de todo lo que brilla se esconde un infierno castigador.

Aterrorizado por lo que estaba haciendo Daniel, Sergio subió raudo a la escalera, lo contuvo y cerró el gas de la pistola incendiaria. Mientras tanto, Bárbara miraba hacia arriba y movía sus labios. «La hostia.» Pero el fuego crecía sobre los rostros como una inmensa melena dorada y naranja. «Pronto será una ola, un mar sin espuma, hijos de puta.» La gente bailaba fuera de la cocina ajena a toda aquella destrucción.

Hábil para evitar el pánico y con la única idea de sacar a los clientes fuera del local, Sergio tomó las ollas que siempre formaron parte de la cocina-vip y comenzó a agitarlas. Bárbara hizo lo mismo con las que había en el cotillón y que se habían repartido a la entrada de la fiesta. Como ya eran tan frecuentes los cacerolazos en Buenos Aires, Sergio y Bárbara habían tenido la idea de repartirlas para recibir el año de esa manera. Hacía un calor agobiante y pequeños trozos de papel quemado volaban por el aire. El fuego se acabaría extendiendo al otro salón, así que hacia allí se dirigieron Bárbara y Sergio empujando como podían a un Daniel zombi.

—Feliz cacerolada hacia el 2002. Feliz Cacerolada Argentina 2002 —gritaban. Y aunque ya habían celebrado la llegada del año, de nuevo todos los asistentes de la fiesta desenterraron sus ollitas de latón infantil y empezaron a agitarlas mientras Sergio y Bárbara guiaban al personal hasta la calle. Daniel se apartó de ellos para correr a la cocina. Bárbara, soltando su cacerola y bofetón en ristre, lo sometió a empujones y lo devolvió al grupo que sacudía los metales y vociferaba. Daniel lloraba, pero nadie lo oía. «He destruido mi propia obra, quiero morir dentro de ella. Estoy solo. Estoy solo.» Daniel era la señora Danvers al final de *Rebeca*, atrapada en las llamas en la habitación de la mujer a la que veneró.

Ya en la calle, Sergio lo estampó contra la puerta de otro local. Los invitados de la última noche en El Dorado correteaban Irigoyen arriba, entregados a la música violenta, cacofónica y desmembrada de su cacerolazo.

—¡Te volviste loco! —gritó Sergio—. ¡Y encima te salvamos la vida, maricón!

—Me traicionaron —musitó Daniel.

—Uno elige irse, ¿no te das cuenta? Ahorras unos miles de dólares de mierda, dos o tres, y te vas.

—Lo íbamos a hacer juntos —respondió Daniel.

43

—Pues vení. Sin nada, como me voy yo... Ahora con el recuerdo destruido de este bar que fue mi vida, tarado. Mi vida en los últimos diez años.

—También fue mi bar y mi vida.

Sergio sintió el calor del incendio y el ruido de algo que caía. Desde fuera vieron derrumbarse la gran columna de yeso dorado que separaba el salón de la cocina. Las cortinas de falso terciopelo empezaban a arder. Bárbara los había dejado solos para buscar un taxi.

—Sos un maricón hijo de puta, Daniel.

Daniel se abrazó fuertemente a Sergio.

—¿Por qué no me dijeron nada de los visados? ¿Por qué no me incluyeron en sus planes?

Daniel no tuvo respuesta.

Bárbara apareció en un taxi con olor a pizza de cebolla.

—Subí con nosotros —dijo Sergio—. ¿No llevás dinero ahora? ¿No tenés una visa..., algo que te permita pagar el pasaje? En Madrid vamos a contactar con los dueños de unos bares gays. Nos darán trabajo.

—No tengo plata, Sergio. No es porque me falte valor, que tampoco sé si lo tengo, es que no tengo, no tengo nada de dinero. ¿Y en España vamos a trabajar en bares también?

—Sergio —interrumpió Bárbara desde el asiento trasero del vehículo—, en la esquina de Hipólito Irigoyen hay una auténtica cacerolada y los nuestros se les sumaron. Insólito: la realidad se encuentra con la ficción. Pero date prisa antes de que el fuego se extienda y todo se complique —Bárbara miró a Daniel y detrás de él las llamas, que avanzaban como verdugos dentro de El Dorado—. ¿Por qué estás hablando con él? Se volvió loco. Al final terminó siendo un argentino más quemando lo que más ama.

—No podemos dejarlo así, Bar —dijo Sergio, y Daniel notó una descarga de odio en la espina dorsal. Solamente él llamaba a Bárbara de esa manera. Bar fue el nombre con que la rebautizó.

—Tenemos que irnos de aquí antes de que llegue la policía, Sergio.

Sergio metió a Daniel en el taxi al lado de Bárbara. Ella le dio la espalda. Sólo se giró cuando decidió retocar su maquillaje. Daniel vio cómo cogía el estuche de Yves Saint-Laurent que él mismo le había regalado la última semana de la paridad. De pronto el taxi frenó y la polvera se estampó contra el freno de mano. Todo el polvo saltó. «Nos persiguen nubes falsas», pensó Daniel al tiempo que Bárbara se agitaba para recoger el estuche y comprobar si el espejo estaba roto. No lo estaba. Los ojos de cada uno se encontraron y Daniel inició una sonrisa perteneciente a otros tiempos cuando se llamaban a sí mismos «los telepáticos». Oyeron los ruidos de las cacerolas y vieron el Obelisco de la avenida Nueve de Julio, siempre iluminado en el fin del mundo. La gente se iba agolpando: amas de casa con caras de madres de la Plaza de Mayo, jubilados con camisas de pobre, locos arrastrando carritos de supermercado y muchos de los invitados de El Dorado saltando y agitando sus cacerolas de casa de muñeca, sin saber siquiera que sus carteras y sus abrigos estaban calcinándose en el bar devorado por el fuego. Una gorda de pelo desteñido estampó en una de las ventanas del taxi un panfleto: «Ladrones Presidentes». El taxista paró el coche, salió y se enfrentó a la mujer. Sergio lanzó un hondo suspiro y Bárbara sacó de su cartera una nueva pastilla.

—Prefiero quedarme. Yo... no quiero irme todavía —afirmó Daniel. Y se sintió fuerte.

—¿Estás seguro, Daniel? ¿Estás seguro? —insistió Sergio.

—Salí del taxi, por el lado de Sergio. No quiero moverme —dijo Bárbara.

—Nunca sabrás lo que significas para mí, Bar —dijo Daniel.

Bárbara tragó la pastilla y lo miró con los ojos muy abiertos.

—Todas las historias de amor terminan mal —concluyó Bárbara, cruzando sus piernas en el diminuto espacio del taxi.

Sergio ya se había bajado para facilitar el paso a Daniel. Éste salió, incapaz de mirar a Bárbara por última vez.

—El Dorado tiene un seguro, aunque dicen que ni siquiera eso podrás sacar del banco en los próximos días —añadió Sergio abrazándole—. Desde España te llamaré para indicarte lo que debes hacer.

—No quiero ese dinero.

—Daniel, yo no te estoy traicionando. Me estoy salvando. No quiero hundirme junto al país.

El taxista volvió. Sergio entró y cerró la puerta. El neumático del taxi chirrió contra el asfalto donde terminaban diez años de alegrías.

Daniel avanzó hacia el cacerolazo y miró la seriedad con la que los manifestantes se tomaban las consignas y los golpes a las ollas. Aquellos que venían de El Dorado seguían participando de la verdadera cacerolada, todavía ajenos al incendio. Algunos, con la despreocupación que para ellos fue consigna de vida, tomaban taxis a otros lugares y otras fiestas. En ese momento, Buenos Aires era una ciudad dividida entre el compromiso, la queja y los aeropuertos abiertos hacia fronteras que costaban dos mil dólares el billete.

«Fuera ladrones. Abajo corruptos», gritaban los manifestantes en medio del caos, iluminados por los flashes de reporteros gráficos. Serían imágenes que descubrirían al mundo esa nueva Argentina. Imágenes que recibirían a Sergio y a Bárbara cuando aterrizaran en Madrid. Una mujer lloraba porque le acababan de robar el bolso y lo buscaba como si fuera un hijo. Una familia entera, hijos adolescentes y padres con ojeras de desempleo, se unían desde una esquina. Una *drag queen* vestida de Barbarella sostenía una bandera multicolor —el arco iris gay— y se colocaba una careta con el rostro de Zulemita, la hija del ex presidente Menem, el símbolo más despiadado del despilfarro y la corrupción. Algunos la coreaban hasta que un grupo de *skins* la rodeó para golpearla. Unos jubilados y la misma policía disua-

47

dieron a los agresores. La *drag*, con su traje medio roto y un tacón desnivelado, continuó avanzando junto a las familias desempleadas y los ahorristas sin dinero.

Daniel se detuvo delante del Obelisco y se abrazó a él. Como si fuera un árbol inabarcable. Un cohete espacial anclado en un desierto populoso.

—No quiero irme. No me dejen solo.

III

EPIFANÍA DE 2002

Andrés escuchaba su canción favorita de The Beloved. *Hay noches en las que no puedo dormir. Te amo más de lo que puedas saber, sólo que a veces ni siquiera logro mostrarlo.* Y veía las luces dentro de la limusina cambiar de color, casi al ritmo de los trombones de la canción. Del verde al rojo. Del rojo al naranja. Del naranja al amarillo-limón. Del limón al azul eléctrico. Oh, Miami. Su adorada Miami era siempre una canción de amor balsámica que se repetía sin cesar dentro de las limusinas que la cadena de televisión le enviaba. Sus envidiosos amigos españoles le hablaban de lo hortera en América. Tendrían que verlo ahora surcar la autopista noventa y cinco sobre un Atlántico que a la izquierda es verdadero y a la derecha se hace artificial para alojar las casas-capricho de los más ricos del mundo. Tendrían que verlo vestido de color desierto, bebiendo un zumo de frutas y vitaminas recién hecho y conducido hasta la misma puerta de la limo; una limo blanca como las chaquetas de Elvis. Medio bailando, subiendo y bajando la ventana del inmenso automóvil para sentir la brisa y la energía de Miami a las diez de la mañana.

Epifanía, 6 de enero. Andrés recordaba dos días de Reyes. El primero en Madrid, casi un crío, de paso con su padre, viendo la cabalgata desde la ventana de un hotel, en una ciudad gris con niños fascinados ante negros de mentira. El segundo, en el año 85, el día de la muerte de Melisa, su única novia, cuya fotografía llevaba en la cartera detrás de las tarjetas de crédito. Hoy, diecisiete años después, en el periódico que el servicio de limusinas regalaba, Andrés leyó un titular: «*Argentine Dies*» y vio la imagen de unos porteños en chándal gritando contra el dólar. Otro titular y una enorme fotografía de Yves Saint-Laurent: *Couture's King Retires*. El mundo se empeña en confundirte: argentinos sin dinero y reyes del lujo retirándose. Siempre hay un punto de conexión que une el cielo y la tierra. Y ese elemento, sin duda, era él, sonrió, cruzando un Atlántico artificial.

Había llegado a Miami hacía poco más de dos semanas y las ladillas se negaban a abandonarle. Era la señal que se repetía cada doce años. Provocaban un cambio siempre afortunado.

Desde la limusina siguió la estela de una lancha camino de Key Biscayne y se acordó de Melisa. La recordó un día de mar, en una motora, mientras sonaba en la radio del barco el «Under pressure» de Queen y Bowie. Ella se lanzaba una y otra vez al agua. «Melisa.» Decía el nombre sin mover los labios, con los ojos cerrados y esquivando una lágrima. Al abrirlos, la limusina se había detenido atrapada por el tráfico. Andrés miró los rascacielos que conforman Brickell; una fortaleza de poder y gusto desordenado; lo que sus amigos europeos llamaban horterada y que él defendía como la auténtica raíz cultural de la nación más poderosa del mundo. Los tres o cuatro coches que rodeaban la limusina llevaban banderas americanas en sus puertas. Otros vehículos portaban banderas más pequeñas en el salpicadero. Era la imagen del pánico que el 11 de septiembre de 2001 había convertido en un masivo *merchandising*. ¿No tenía un amigo que compró una fábrica de banderas americanas dos días después de la caída de las Torres Gemelas y ahora era el flamante propietario de una casa en Key Biscayne? En la larga espera del tráfico, Andrés seguía observando a los nuevos ejecutivos que leían el periódico; siempre el *USA Today*, con fotos de Bin Laden y Bush convertidos en los nuevos Batman y Robin de la realidad internacional. Su psicólogo, el doctor Cortezo, le había advertido que la comparación no era adecuada. Andrés reía al tiempo que rascaba su entrepierna. Finalmente, ese instante de tráfico retenido se fue disipando y la radio, donde antes cantaban The Beloved, le regaló el «Under pressure», como si Melisa también estuviera recordándole.

«Siempre rodeado de muertos —se dijo a sí mismo—. No los nombres ahora. Es de día y están descansando. No hace falta que los recuerdes en esta nación cubierta de pánico, con la palabra guerra en cada esquina y con el cielo cruzado por aviones que ya no resultan inofensivos.» En cierta manera, el 11 de septiembre ha hecho con los aviones lo mismo que Hitchcock hizo con los pájaros. Andrés volvió a reír. Le encantaba evadirse de la realidad. Estaba harto del 11 de septiembre en un país que en el fondo adoraba ser el centro absoluto de las conversaciones de todo el planeta. Sus amigos americanos le echaban en cara no haber estado ese día; una fecha que se empeñaban en definir como «la que partió la historia en dos», «el verdadero inicio del siglo XXI» o «el nacimiento del Anticristo». Andrés, por su parte, lamentaba que esas amistades tuvieran profesiones mediáticas, repletas de titulares convertidos en frases hechas y lugares comunes; titulares propios de una generación atrapada por definiciones sobre el nuevo siglo, el miedo o la histeria. Cuando se alteraban discutiendo sobre el tema, Andrés se desperezaba en las cómodas butacas de sus cómodos hogares y lamentaba públicamente no haber vivido esos días de pánico para poder acompañar a sus amigos a las farmacias donde ofrecían Prozac gratis. Prozac gratis, sí, así como suena. Los enemigos de Bin Laden mantuvieron a la primera nación del mundo completamente dopada.

Debería estar leyendo el informe de su nueva oferta televisiva, como veía hacer a los otros diez o doce ejecutivos: jóvenes igual que él, también vestidos como si regresaran de un safari impecable o de una cacería sin sangre, esos que, idénticamente sentados en limusinas blanco Elvis, bajaban y subían las ventanillas como una orquesta de signos repetitivos. Leían sus proyectos. Algunos incluso ensayaban sus discursos. Todos eran blancos, ninguno negro, ni siquiera hispano. Los chóferes, en cambio, sí lo eran y, además, nunca superaban los veintisiete años. Andrés, que volvía a agobiarse por no pensar en lo que les diría a esos mandamases de la cadena televisiva, observaba si los chóferes se saludaban entre sí o si trabajaban todos para la misma compañía de limusinas permanentemente alquiladas en esa autopista que cruzaba Atlánticos.

—*You guys all work together, don´t you?* —preguntó orgulloso de su maravillosa adaptación al *don´t you* en vez del «¿no?» final que los latinos nunca desterrarían de su malhablado inglés. Por supuesto, también se enorgulleció de mantener a rajatabla su prerrogativa de jamás contratar a un chófer latino. «En mi limo me gusta hablar inglés y punto. *Period.*»

El chófer respondió:

—*Yeah, sir, you got it allright. We all work for the same boss* —hizo una pausa acrecentada por los colores cambiantes de la limo y sonrió en el retrovisor donde Andrés se veía empequeñecido al fondo del inmenso automóvil—. *And that is the FBI itself.*

Le gustaban los chistes ridículos de este país que parecía extraído de una de sus propias películas. Y le bastaba sentir el picor de su entrepierna, que ni siquiera el champú pesticida más caro lograba remitir, para darse cuenta de algo: en Estados Unidos cada vez se alzaban menos barreras entre la mentira y la verdad. América, como le había dicho a Melisa aquella primavera del 84, era una inmensa película.

Avanzaban ahora por una eterna autopista desprovista de signos de identidad. Muy bien podrían ir camino de Alabama, de Granada o Veracruz. La limo devoraba millas en una soledad tristísima, incluso para el propio automóvil. De pronto aparecían edificios de tecnología insuperable, siempre blancos o cubiertos de espejos verdes y azules: inmensos laboratorios muy propios de todo tipo de doctores Mabuse. En un punto abrupto, el vehículo giró a la derecha y Andrés vio el cartel de ese gran hombre de la televisión latina, don Francisco, estirando sus brazos en un signo hipnótico de bienvenida. Encima se leía «Bienvenidos a Univisión». Y Andrés, mitad en broma, mitad en serio, volvió a sentirse un Hernán Cortés delante de un Tenochtitlán color marfil y césped inmaculado. Don Francisco rechazó conducir su proyecto, pero había propuesto a su sobrina como presentadora. «Esta idea necesita una mujer, porque las mujeres son las que creen en el amor más allá de la vida», dijo como excusa. Los verdes intensos, el naranja de la suerte y el azul siempre eléctrico daban vueltas en el interior de la limo a medida que ésta disminuía su velocidad. Andrés bajó y subió la ventanilla por última vez y bebió el último sorbo de su zumo de frutas vitaminado.

«Ay, Andrés, tú naciste de pie», le repetía su madre. Nunca fue el primero de su clase, pero recibía honores de todo tipo. En el colegio de Pennsylvania destacaba en fútbol, seguramente porque era español de naci miento, aunque sus padres habían preferido educarlo en Estados Unidos. Podían permitírselo; diplomáticos que al fallecer en un accidente de aviación le dejaron una casa en Madrid a la que nunca iba y un patrimonio discreto que él había preferido convertir en Fundación Feliciano Salgado, el nombre de su padre; fundación a la cual no sabía muy bien qué dirección darle, pero que por el momento aparecía espléndida en sus tarjetas de presentación. «¿Cuántas veces al día dices *espléndido* o *estupendo*, Andrés?» «Miles», se respondía a sí mismo antes de rascarse una vez más la entrepierna delante de esos ejecutivos que alababan los resultados de su programa y esperaban de él otra nueva idea revolucionaria para poner en práctica. Oh, sí, tenía que trabajar, volvía a recordarle su cerebro privilegiado, aunque él deseaba pensar en esa canción de The Beloved, en el «Under Pressure» que Melisa le había enviado desde el cielo o en las cosas maravillosas, balsámicas, sí, *espléndidas* a las que sus paseos por Miami le incitaban.

Una secretaria joven, latina de curvas y con el acento Univisión, amalgama de todos los tonos latinoamericanos que conviven en Miami, le acompañó hasta las puertas de impactante caoba que resguardaban el *Meeting Room* de los mandamases. Reunión de altas esferas. Nuevos proyectos. En realidad, lo que Andrés deseaba ahora era diseñar la mejor discoteca del mundo. Había llegado a la conclusión de que la gente veía la tele por no tener dinero para ir de discotecas —y muchos de los programas de éxito eran como auténticas discotecas—. Por eso quería culminar su carrera creando la más alucinante de todas: una donde se pudiera viajar a través del tiempo, como en su programa de regresiones, pero no a horizontes muy lejanos, sino a décadas recientes del siglo que acababa de terminar.

Ante la insistencia de su amiga Mónica, Andrés consintió en acompañarla a cenar, tras la reunión, a un restaurante «que te encantará, detrás del edificio de I. M. Pei». Andrés adoraba esa construcción por su impresionante altura y por su significado cultural para Miami. Pei, el mismo arquitecto que Jackie Kennedy descubrió al mundo para que levantara el Kennedy Center y que Miterrand eligiera para las pirámides del Louvre, aportaba a Miami un toque de sofisticación y diseño sideral más allá del 2000. Invadido de tecnología, el rascacielos cambiaba de color en toda su extensísima fachada. Y a raíz del terror post 11 de septiembre, dibujó la bandera americana en sus espléndidos sesenta pisos de altura. «No son tantos», le había recriminado Mónica, pero a él le gustaba exagerar lo que en su vida era de verdad *espléndido*.

Mónica entró fumando, haciendo caso omiso a las prohibiciones federales. Llegaba tarde y sin haberse cambiado la ropa del trabajo. Caminaba con ese lenguaje corporal de «voy a echarte un polvo, quieras o no» que, a lo largo de la noche, se iba diluyendo en pequeños comentarios sobre lo aburrido de su trabajo y en el deseo de despertarse en otra ciudad que también tuviera mar.

«Es tan madrileña», se dijo Andrés, viéndola pasar entre las mesas del restaurante y hablar con la dueña, otra chica joven con maneras y aspecto de ex modelo metida a hostelera. «En el fondo, ambas profesiones, modelo y camarera, llevan pasarela», pensó que habría comentado Victoria. Mónica se sentó agitada, mascullando un saludo con un acento castizo que jamás perdería y mirando hondamente hacia el canal lleno de veleros bamboleantes.

—No me extraña que te guste venir aquí. Necesitas la vista para tranquilizarte —dijo Andrés.

—Acabo de cortar con ese capullo de Brian. Lo de siempre: no sé por qué me empeño en tener un novio gringo.

—Porque hablabas muy bien inglés en el colegio de Madrid.

—Sí, claro, con este acento de segoviana. Ay, Andrés, tío, estos americanos son sosos, estreñidos.

—Se dice *anal retentive* —le recordó Andrés, que así como él repetía *espléndido,* estreñido era el adjetivo del que Mónica se valía cuando alguien hacía algo que no le gustaba.

—Brian es mucho más que *anal retentive*...

—Es *passive agressive* —acertó Andrés, y Mónica se partió de risa.

Ése era su encanto con las mujeres y con todo el mundo. Tenía el sentido del humor exacto para convertir lo cotidiano en risas. «Sí, mamá, te estoy escuchando, nací de pie.»

—Porque son masocas, coño. Cuando quieren sexo tiene que ser a lo *Nueve semanas y media* o nada. Y a la cuarta vez de escucharte a ti misma silbando «Slave to Love», te aburres, ¿o no?

—Siempre he preferido a Bryan Ferry por encima de cualquier cosa.

—Oh, Andrés, maricón. Siempre tan maricón. A la mierda con los Brian del mundo. Me voy a emborrachar contigo y...

—No puedo follar, Mónica, *darling*. He vuelto a pescar unas ladillas pesadísimas.

—Por favor... ¿En España? ¿Con quién has estado?

—Con una de las concursantes del *Gran Hermano* de allí.

—¿Continúa teniendo éxito?

—¿La concursante o el programa?

—¡Qué más da! ¿No hay un producto buenísimo de esa línea francesa para el baño, que lleva una mezcla de hinojos y menta y que paraliza la reproducción de todo tipo de bichos?

—Primera noticia de ello.

—Pues pasamos por casa después de cenar y te regalo un bote, si es que me acuerdo de dónde los escondió Brian con su obsesión por el orden. ¿Qué pedimos? ¿La pasta de la casa con bogavantes o esa pallarda ultraligerísima que le fascina a tu arquitecta? ¿No tendrá ella ladillas también?

—No. Y tampoco es lesbiana, Mónica.

—No lo tengas tan seguro. Con la escasez de varones que hay en esta ciudad, hasta yo misma he tenido que acostarme con una cantante de *cross country* que me presentaron en uno de los restaurantes de Emilio Estefan.

—Es sólo *country*. *Cross country* es un deporte. Pediré la pasta con ese bogavante de mentira.

—Con lo bien que estaría tu madre organizando este año la Navidad, Andrés.

Guardaron silencio. Mónica se arrepintió de mencionar a los muertos. «Pobre Andrés —pensó ella—: que te despierten en plena noche, que te digan que tus padres han fallecido en un accidente de aviación y que a las pocas horas el suceso viaje por los noticieros de medio mundo...» Él durmiendo en un hotel en Ginebra y sus padres en el fondo del Atlántico en el vuelo fatídico de Swissair que se estrelló a cuarenta kilómetros de la Costa Este.

En el silencio obligatorio escucharon el rumor del agua, sus golpes leves contra las maderas del puerto, el sonido de los autos sobre la autopista, trozos de las conversaciones contiguas, todas referentes a planes para cumplir las promesas del año nuevo que ya era viejo.

—Lo siento, Andrés. Soy una bocazas.

—Da igual. Hoy he pensado mucho en ella. También en Melisa.

Mónica se dejó estremecer por un escalofrío y buscó el chal que había olvidado traer. Se lamentaba, sinceramente, de no haber suplido en su momento la ausencia de Melisa en el corazón de Andrés. Volvió el largo silencio. Ella quiso recurrir al lugar común de maldecir la falta de frío en las navidades miamenses. Andrés seguía mirando el mar.

—Da igual —dijo él al fin—. Sé que están bien allí, en el fondo de este océano, rodeados de todos los Picassos y todos los tesoros que volaban hacia Ginebra.

Mónica sonrió y quiso besarle su boca roja y carnosa. Andrés se atusó una vez más el pelo. Pidieron la pasta con bogavante y la pallarda ultraligera y rieron, como siempre, de las proporciones *ultraespléndidas* de la ración. Volvieron a destripar la desproporción absoluta de los americanos; esa innata propensión a la exageración de la paranoia, del tamaño de las ciudades, de la naturaleza siempre indómita, de la calidad de sus noticias, de lo lejos y cerca que parece todo desde el centro del universo occidental, de los argentinos que poblaban Lincoln Road trabajando como camareros o como recogedores de basura. Y de los españoles que luchaban por parecer europeos en esa Miami, la verdadera capital de Latinoamérica. Rieron, bebieron «el insólito vino español que, seguro, fabrican en California», y advirtieron que por una vez en su vida, el tiempo se movía con pereza. Entonces sonaron las alarmas en el canal y Andrés y Mónica se giraron para ver el milagro hidráulico: un puente levadizo que a determinadas horas se partía en dos y se abría hacia el cielo, como las inmensas piernas de una diosa erótica. Se elevaba con la misma lentitud mecánica del tiempo que estaban disfrutando y de pronto quedaba detenido en esa inmensidad oscura, mostrando la cuadrícula concreta de su parte baja. Un velero mediano pero con altísimo mástil se deslizaba sobre las aguas. Emocionados por esa mezcla única de tecnología, naturaleza y lujo que Miami les regalaba, Mónica y Andrés se levantaron a aplaudir a la vez que los ocupantes del velero respondían con risas y copas de champagne.

«Sí, Andrés, has nacido de pie.»

IV

12 DE MARZO DE 2002

Sentado delante del ordenador, con la pantalla en blanco, Rodrigo recordaba la secuencia del viaje a la estación Clavius en *2001: una odisea del espacio*. El amarillo de las butacas antigravitatorias. El traje blanco acolchado de la azafata. Pero, sobre todo, pensaba en el vals de Strauss. Trinidad abrió la puerta de su despacho.

—¿Qué haces despierto? Mañana te toca llevar a Jimena al colegio.

Rodrigo no apartó los ojos del ordenador, aunque lo apagó para que su mujer no viera la pantalla vacía.

—Tengo la sensación de que hace un calor infernal —dijo Rodrigo.

—Por Dios, deberías bajar la calefacción. Ha sido una noche larguísima. El programa fue...

—Insólito —interrumpió él usando su palabra favorita—. He visto un trozo.

—¿Ah, sí? ¿Cuál? —preguntó ella acercando sus manos al cuello de su marido. Estaban muy frías, pero él no diría nada.

—Cuando el chico moreno dijo que en su otra vida había sido un miembro de las cruzadas —añadió Rodrigo.

—Sé que no lo crees, pero las regresiones que consigue este nuevo equipo de expertos están repercutiendo muy bien en la audiencia.

—Me alegro por ti.

—¿Por qué no vas a ver a papá por lo de esos calores?

—Porque no quiero preocupar a nadie, Trinidad.

Trinidad miró fijamente el ordenador apagado. Rodrigo apreció la calidad de la piel de su mujer y agradeció que regresara del trabajo completamente desmaquillada.

—No has adelantado nada, ¿verdad? —preguntó ella.

—No.

—A Jimena le hace mucha ilusión que vayas mañana a su colegio a dar esa charla sobre edificios y ciudades. Tienes que dejarla bien delante de sus amigas. Es tarde. Vamos a la cama.

Su padre le decía lo mismo a él: «Tienes que dejarme bien». Era un reconocido arquitecto madrileño, como una vez señaló el *ABC* al reseñar sus edificios en una nota necrológica. El peso de su obra marcó para siempre a Rodrigo, incapaz de acercarse ni de lejos al talento de su progenitor, pero eternamente presionado por el entorno y obligado a superarlo.

Los compañeros de Jimena lo miraban desde sus pupitres. Rodrigo esperaba a unos críos chillones. Sin embargo, parecían jefes de empresas con futuro. Apretó los puños y habló del caos en las ciudades que, pese a su desorden, generalmente construyen el paisaje que nos acompañará toda la vida. Habló de la esquina donde aprendes a jugar al fútbol y a sentirte Míchel, aunque a estos niños tendría que haberles nombrado a Raúl o Cañizares, ídolos más recientes. Habló del ascensor donde te das el primer beso con alguien del colegio. Del ruido lejano de la campana de alguna iglesia. Del tono que la luz depositaba sobre los muebles de la casa. De las rayas del parqué en el domicilio familiar que, si él hubiera podido, habría guardado porque eran como heridas que necesitaba recordar. Aquí la profesora derramó una lágrima y Rodrigo se acordó de que esa frase había enamorado a Trinidad. Su hija escondía una sonrisa mientras dibujaba círculos en un papel.

Rodrigo siguió hablando de los edificios que uno tiene derecho a escoger como suyos aunque no lo sean. En su infancia le impresionaba mucho la Casa de la Moneda, no porque guardara el dinero de España, sino porque era un cubo, una gran caja fuerte atrapada en la mitad de unas calles incómodas. Un niño comentó en ese momento que le parecía horroroso ese edificio. Toda la clase se rió. Rodrigo reconoció que a lo mejor él tenía un gusto feo. «Entonces, ¿por qué eres arquitecto?», le preguntó otro compañero. Jimena se angustió levemente. Rodrigo quiso responder que era arquitecto por imposición de su padre. Que habría preferido ser portero de la selección española de fútbol. Quiso responder que odiaba la arquitectura porque nunca sería mejor que su padre ni tampoco crearía mejores edificios que los que ya existían. El Seagram de Van der Rohe en Nueva York o el de La Unión y el Fénix de Gutiérrez Soto en Madrid con su perfecta simetría de ventanas, hormigón negro y la figura emblemática de la compañía aseguradora detenida en el cielo de la ciudad. Quiso responder la verdad. «No soy un buen arquitecto y nunca lo seré. Tengo detrás de mí el fantasma de mi padre, que lo fue y que me persigue cada noche, cada día, plano tras plano, proyecto tras proyecto.»

«Soy arquitecto para agradecerle a esta ciudad su luz», dijo finalmente. La profesora irrumpió en aplausos y Jimena miró a su progenitor muy seriamente. Rodrigo se sintió cursi.

Se quedaron a comer en el colegio con algunos amigos de su hija. Los niños tenían todo el aspecto de haber sido seleccionados por la maestra para ese evento.

—Yo también creo en la luz de Madrid —dijo ésta. Rodrigo sonrió a su hija, pero ella no apartó la vista del plato de macarrones. Los amigos mantenían un incómodo silencio—. Porque es cierto que la luz cambia dentro de una casa. Y que ningún día es igual —continuaba, rapsódica, la maestra. Rodrigo empezaba a preguntarse si no se había pasado de cursi.

De pronto, un chico pelirrojo, el raro del grupo, lo miró fijamente con sus ojos muy azules.

—Los fantasmas del programa de la mamá de Jimena, ¿son de verdad o son del guión?

Se apoderó de la mesa un silencio que oscurecía, hablando de luz, la poca que entraba en el comedor del colegio.

—Os he dicho que esta tarde... —empezó la maestra, pero Rodrigo sonreía al chico.

—No son fantasmas —apuntó el arquitecto—. Se trata de un programa donde la gente decide viajar a su propio pasado y luego lo comenta con mi esposa.

—Entonces, ¿no hay fantasmas en casa de Jimena? —añadió otra niña. Jimena seguía sin levantar la vista de los macarrones.

La maestra se puso rígida.

—Hay uno, por supuesto. ¿Jimena no os ha hablado de él?

Jimena levantó los ojos hacia su padre y estuvo de acuerdo con su sonrisa.

—Es una niña que llora de noche por sus padres que murieron en un accidente de aviación —dijo Jimena mirando al pelirrojo con toda la fuerza de su inteligencia.

—Eso es mentira —se defendió el pelirrojo. La maestra apretaba su servilleta nerviosa. Los otros niños empezaban a reír.

—Óscar tiene miedo. Óscar tiene miedo, pero le gustan los fantasmas. Sexto sentido, sexto sentido... —canturreó alguno de los chicos.

—Vale, Jimena. No digas mentiras —interrumpió Rodrigo.

—Algunas mentiras se convierten en verdades —aseveró Jimena.

Iban en el coche de regreso a casa. El cielo de las tres de la tarde poseía un profundo color plomo.

—¿Por qué fuiste tan cursi en tu charla?

—Jimena, no seas tan dura conmigo. Recuerda que sólo tienes nueve años.

—Bueno, lo de la luz fue una buena idea para que la profesora se enamorara de ti. Estuvo toda la semana recordándome que venías, que te admiraba, que le gustaba mucho el trabajo del...

—Abuelo —dijo Rodrigo.

—Sí —y Jimena calló un instante, entendiendo que al mencionar al abuelo se creaba una incómoda pausa.

—Bueno, y también habló de mamá —prosiguió.

—¿La ve en la televisión?

—Todos mis amigos tenían prohibido hacer preguntas sobre el programa de mamá. Óscar tuvo que hacerlo porque si no, no sería Óscar.

—Lo comprendo. No me molesta que me pregunten sobre mamá. Ella es famosa.

—Y tú y yo no.

Rodrigo aprovechó el atasco del tráfico para sujetar bien los hombros de su hija.

—¿Es un problema?

—Odio que mamá sea famosa —concluyó la niña. Rodrigo no quiso unirse a la declaración.

Estaba en el baño preparándose para acompañar a Trinidad a un premio de televisión. ¿Era necesario que él, vestido con traje gris oscuro, corbata morada y camisa de algodón, también gris, tuviera que soportar la conversación de los jefes y compañeros de su mujer? Toda esa cantidad de gente detenida en las escaleras del teatro, observando la llegada de los otros para ver si lo hacen mejor que ellos; saludándose sin mirarse, felicitándose sin tocarse. Era verdad: ese ritual formaba parte de la fama.

—Sé que si vamos a la cena te va a molestar pero... —comentó Trinidad.

—No. A la cena hemos acordado que irás tú sola. Contraté el taxi para que vaya a buscarte a las dos.

—Rodrigo, es tan absolutamente aburrido cenar sin ti —ella de rojo; hombros de rubia resplandeciendo.

—Eso es mentira. Me dejas allí con los ejecutivos y hablamos de ti y de fútbol y de sus mujeres, y tú no dejas de trabajar.

—Es muy probable que me den uno de los premios, Rodrigo.

—Lo celebraremos mañana con Jimena.

—No quiero estar sola con un premio en la mano junto a mis compañeros.

—Y yo no quiero estar solo mientras tú firmas los autógrafos, charlas con las otras estrellas de la televisión, respondes a los micrófonos y vas quedando con todo el mundo en tu mesa para hablar un *ratini*.

—Yo no digo *ratini*.

—Te acompañaré durante la gala y estaré a tu lado cuando recibas el premio, pero luego regresaré a casa.

Trinidad volvió a mirarse en el espejo perfectamente iluminado del vestidor. El rojo era fenomenal. Recordó que Rodrigo se lo había sugerido en una visita a Nueva York: las estrellas de televisión tienen que ser como Sharon Stone.

Trinidad recogió su premio bajo una estruendosa ovación de fans en la segunda planta del anfiteatro. Al lado de Rodrigo, que sostenía su sonrisa de marido fiel, aplaudían las nominadas sin premios. Una de ellas se hallaba atrapada en un vestido de vuelos y más vuelos. Los arquitectos que diseñan baños y vestidores van aprendiendo algo de moda y comprenden que buena parte de su formación procede de observar aquello que jamás querrán verle puesto a su esposa. «Ese rojo, por ejemplo —le comentaba a Trinidad—, qué bien queda en la televisión, cariño. Mira qué distinta te hace de tus compañeras de trabajo. Eres una dama y por eso triunfas.» «Y yo lo he entendido —se decía ahora a sí mismo—, en lugar de dibujar los planos de una pirámide para la posteridad, he creado el vestuario de mi esposa, estrella de la televisión.»

Rodrigo aceptó finalmente quedarse a la cena, que no es tal, sino una mesa cubierta de fiambres, tortillas varias y patés rosados. Trinidad avanza por la sala. La acompaña un pez gordo. Rodrigo se encuentra aislado en una mesa cuyos comensales buscan *glamour* en esos patés de plástico.

—Te prometo, Rodrigo, que no he sido yo quien ha tomado la iniciativa —dice Trinidad, hablando como si estuviera iniciando el segundo bloque de su premiado programa.

—Lo que pasa es que Rodrigo no se acuerda de mí, Trinidad —continúa el pez gordo.

Rodrigo los mira con odio: le disgusta que hablen de él como si no estuviera allí.

—¿No recuerdas las colonias de verano del Liceo Italiano?

—Eran mis hermanos los que iban al Liceo Italiano —advierte Rodrigo, que está a punto de recordar quién es este envejecido pijo del pasado.

—¿Te acuerdas de la primera casa con piscina de Las Rozas? —pregunta de nuevo el pez gordo. «Sí, imbécil, claro que la recuerdo, era un proyecto de mi padre», piensa Rodrigo—. Fue mi hogar en la infancia, hasta que mis padres la vendieron para hacerse una más grande, también en Las Rozas. Se lo estaba diciendo a Trinidad...

—Y he tenido una idea genial —agrega Trinidad. «No sigas, Trinidad, esposa mía, que siempre terminamos mal cuando dices *una idea genial...*»—. Que tú podrías reinterpretar esa casa, como homenaje a tu padre, en un terreno que él acaba de adquirir gracias a un intercambio de la cadena.

V

2 DE MAYO DE 2002

—**D**aniel —escuchó la voz como si cayera desde el lado más oscuro del cielo—. Daniel, sos un esteta...

Abrió los ojos. Se había quedado dormido con la camiseta que guardaba en casa de sus padres. Llevaba impresa en la delantera la portada del primer disco de Human League. Phil Oakey le recordaba a sí mismo, con sus pómulos perfilados, el pelo engominado hacia un lado, las orejas puntiagudas y ese aspecto de dandy inglés. «Maricón —le decía Bárbara—, él sí es inglés de nacimiento, no como nosotros que llevamos toda la existencia intentando parecernos.» Tenía frío. Un frío de miedo en ese otoño austral en el que nadie podría estrenar abrigo.

¿De quién era esa voz? ¿Qué había soñado? Mirando el techo sintió que un escalofrío le recorría el cuerpo. Nada se movía. No es que esta casa en Trenque

71

Lauquen, donde sus padres habían escogido vivir desde hacía algunos años, fuera una oda al estilo Gaudí, con techos altos como nata a punto de derramarse. No, no era así, pero sí notaba que el movimiento había desaparecido como si la habitación se hubiera convertido en un cubo inerte. «Un ataúd —pensó, siempre obsesionado con su muerte—, aunque más grande y aún más quieto.»

Levantó un brazo para comprobar que estaba vivo y logró mantenerlo en el aire. Movió los dedos, que parecieron tocar algo duro: una inmovilidad invisible. Oyó el ruido de la manguera y consiguió salir de la cama. Avanzó en el oxígeno pesado de esa inmovilidad hasta la ventana. Levantó la persiana y le golpeó la amplia mancha sideral que los libros llaman pampa. Serían las seis de la tarde y su padre, Emilio, regaba la tierra fría.

—A tu madre le gustaría ir a las manifestaciones de la capital, pero no debería moverse porque le vuelven sus dolores de cabeza —dijo su padre mientras regaba una esquina de pequeños cultivos que jamás llegaban a crecer porque ese trozo de tierra era estéril, en verano o en invierno.

—¿Desde cuándo no la llevás al médico? —preguntó Daniel.

—Ella no quiere ir...

—O no tenés dinero para la consulta.

Su padre apretó los labios, cerró la manguera y estuvo un rato sin moverse. Las gotas sobre la tierra parecían cristales sin brillo.

—No queremos tu dinero, Daniel —dijo al fin.

—Me disculpo por plantear la pregunta, pero tampoco tengo para darles.

—¿Sabés algo de tus amigos? Hace ya varios meses que se fueron.

—No. Imagino que siguen fuera del país.

Emilio abrió los ojos hacia la pampa. El tren a Buenos Aires, oxidado y con pocos viajeros, ya no rechinaba sobre las vías como antes. Tampoco se desplazaba. Simplemente interrumpía.

—Volverán muertos —retomó Emilio, refiriéndose a Sergio y a Bárbara—. O, peor aún, con las alas rotas.

Daniel guardó silencio y el tren por fin abandonó el horizonte. El milagro puede florecer aún en lo más árido: su padre y él, después de tanto tiempo, pensaban igual.

—Papá, noto que las cosas no se mueven, que miro al techo de la habitación y ni siquiera las sombras siguen al cuerpo.

—Las sombras no se proyectan en los techos, Daniel.

—Algunas sí, papá, algunas sí...

Una voz le había llamado esteta allí mismo, en ese rincón de la pampa a más de trescientos kilómetros de Buenos Aires, donde se había refugiado tras el incendio y la traición de sus amigos. A su padre, sin embargo, no le hablaba ninguna voz, ni aquí ni en la casa de San Telmo, que antes de que Sergio y Daniel transformaran en tienda de espejos, fue el hogar familiar. Además, esta

73

finca en Trenque Lauquen no era lo que la familia esperaba. Las vacas no llegaron sanas o murieron poco a poco. Algunas fueron sacrificadas y otras, robadas, siempre según el lacónico relato de Emilio. Sólo quedaba la casa, la inamovible superficie y la triste figura de su padre regando en invierno.

Emilio, siempre con escasas palabras, echaba la culpa al gobierno, que no ayudaba a los pequeños agricultores y ganaderos. Daniel pensaba de otra manera: ser agricultor era la última oportunidad de su padre. Antes de que él naciera, Emilio quería construir puertos, pero tuvo un accidente que le cercenó varios dedos. Cuando Daniel nació, su padre consiguió trabajo conduciendo un camión. Fue su único trabajo estable. Más adelante, y debido a esta vida de superviviente, Daniel se juró que nunca sería como Emilio. Pero, de niño, como recordaba ahora, delante de la pampa muda, sí quiso ser camionero.

Su padre bautizó al camión con el nombre de Sandro, como el cantante mítico que aunaba a Elvis Presley y a Julio Iglesias en una melena oscura y un vozarrón de puro brío argentino. «Se llamará Sandro porque es tan guapo y fuerte como él», dijo un día el padre, y su madre lo besó y se fueron a la habitación, y Daniel se quedó solo viendo en la televisión al verdadero Sandro, que agitaba la pelvis y movía las manos luchando con el sudor de sus cabellos. Quizá por eso también le gustaba el camión, porque a él, de niño, después como veinteañero y ahora en el último año de su vida, Sandro siempre le pareció guapo.

Quería recordar el camión. Plateado y larguísimo. Su padre, en ese instante de felicidad que casi todos los padres tienen con sus hijos varones, daba una vuelta antes de dejarlo en el garaje para que Daniel pudiera verlo. Emilio lo dejaba entrar y le mostraba, además de la carga de alfalfa, algún que otro lechón, queso fresco o sacos de yerba mate de Misiones que traía para sus amigos. Daniel veía el cargamento, pero prefería observar la estructura: ese metal liso, perfecto, casi espejo; ese cubo o ataúd modernísimo que le fascinaba. Durante cinco años la carga fue variando. Forraje, lechugas, melones o sandías. Una vez, alfombras; otra, neumáticos viejos. Hacia el 76, Sandro, el cantante, rodaba una película junto a Susana Giménez. Su madre hablaba con él de esta relación: «Se han mezclado dos criaturas muy fuertes. Ella está casada con Monzón. No entiendo cómo una mujer puede lidiar con dos caballos tan veloces, con dos seres tan sobrehumanos». Daniel observaba las noticias sobre el rodaje. Sandro aparecía embutido en una camisa de seda ambiguamente rosa, puños gruesos y cuello delirante, el pelo corto y la cimbreante cintura ajustada dentro de un pantalón estrecho y denunciable. Estaban juntos, la Giménez y él, en un estudio de grabación de la RCA, cuyo logo, mediados de los setenta, informaba a la posteridad a qué época pertenecía este encuentro. Entonces tenía casi once años. Hoy, en el ecuador de sus treinta y seis años deseaba que Argentina se hubiera detenido en ese fotograma: Sandro ceñido y Susana vestida completamente actual, con un escote profundo, un turbante muy blanco, entre Lana Turner y Grace Princesa

Serenísima, y coronada por unas gafas de sol casi tan anchas como el parabrisas del camión de su padre y que hoy harían las delicias oculares de Bono.

Después de ese año todo se torció, incluidos el turbante y la pareja. Isabelita Perón condujo el país hacia la dictadura. Un vecino de San Telmo le dio a Daniel, de once años, un sobre para que lo guardara y salió rápido hacia el puerto. Con el sobre en la mano, el chico vio correr a dos hombres detrás del vecino. Nunca regresó. Más tarde su madre le preguntaría qué era ese sobre y Daniel dijo la verdad. Su padre vino nervioso al cuarto y, tras algunas dudas, decidió abrirlo. Dentro había una fotografía de un joven desnudo. El padre se encolerizó, cogió a Daniel muy fuerte por la camisa y lo empujó contra una pared.

—¿Sos vos? —interrogó el padre.

—¿Cómo va a ser él, Emilio? Es un hombre —dijo la madre. Emilio abofeteó a Daniel.

—A los maricones está bien que se los lleven presos y los maten en los Andes —y salió de la habitación para arrojar los trozos de la fotografía a la calle. Sandro, el camión, desapareció y unos meses después hizo acto de presencia un taxi. Para entonces, Daniel iba a cumplir doce años y veía demasiadas telenovelas de Andrea del Boca o escuchaba por las noches las discusiones de sus padres: «Giuliana, volverás a nuestro hijo maricón con esas telenovelas». «El dinero del taxi no cubrirá la deuda.» «Estás con putas por las noches, Emilio. Yo lo huelo.» Pero Daniel no quería explicar que le gustaba Andrea del Boca y que también le gusta-

76

ban las maravillosas Trillizas de Oro que cantaban junto a Julio Iglesias y que, de hecho, le habría encantado vestirse como Julio Iglesias para hablarle a Rina, una rubita de su colegio que siempre discutía si Sandro era más hombre que Julio Iglesias. Sandro, a pesar de su admiración, resultaba demasiado animal para Daniel. Demasiado pelo. Iglesias, que no le convencía del todo, al menos mostraba un aire refinado. «Si es gallego, hombre», le dijo su padre un día. «Refinado era tu abuelo, que me llevaba a ver los caballos y los barcos que llegaban de Norteamérica.»

Al taxi no lo bautizaron. En una noche de mucho frío, a Daniel se le ocurrió que podían llamarlo Julio. No recibió respuesta, seguramente porque nuevas señales de carmín barato resaltaban en su tapicería de escay negro. En el invierno del 78 al 79 cuando su madre le apartaba de los noticieros y sus amigos del colegio hablaban de militares peligrosos y de personas que desaparecían de los portales, Daniel volvió a sugerir nombres. Por ejemplo, Frankie, ya que así bautizó Marilyn Monroe a Sinatra. Pero todo el esfuerzo por mantener la relación entre cantantes míticos y los vehículos de su padre se fue al garete ante la obstinación del destino.

A sus trece, Daniel se vio dentro del taxi con su padre, que conducía a toda velocidad por la avenida Libertador. Emilio le exigió que no hablara: tenía dolor de cabeza y fumaba, uno tras otro, esos cigarrillos de tabaco negro que habían aparecido en su vida a la vez que el taxi. Daniel —siempre lo recordaba— veía el parque de atracciones al final de la calle Alvear con Libertador y observaba cómo en la entonces inmensa Rueda de la fortuna se agolpaban señores de la edad de su progenitor, en vez de niños como él. Emilio le dio un golpe en la nuca. «No mires a los lados.» ¿Por qué? ¿Qué mal podía hacer él? Después lo entendería: en las aceras estaban deteniendo inocentes. La avenida continuaba su ascenso hacia el barrio más *chic* del mundo, Palermo Chico, y las casas donde supuestamente vivieron los antepasados de San Martín; barrio que ese año era noticia porque la gran Mirtha Legrand, aún gloria del cine nacional, había adquirido casa. Si seguía a rajatabla la orden de su padre, no podría cerciorarse, como así deseaba, de la presencia de la gran dama Legrand detrás de los ventanales. Pronto alcanzaron los bosques de Palermo y el monumento a los españoles. Emilio volvió a advertirle: «No mires a los lados». Daniel lamentó perderse el espectáculo de gauchos que llegaban desde la pampa para mostrar sus habilidades a turistas o paseantes. Le horrorizaba esa costumbre, pero le encantaba el espectáculo, a veces triste, de gauchos que no eran tales. Pronto los jardines desaparecieron y al fondo se vio el inmenso estadio del River y, más allá, sus instalaciones deportivas. Sobre las escaleras que cruzaban la autopista, a veces, como ese día, aparecían jóvenes aspirantes a futbolistas. No sintió un golpe en el corazón, pero de pronto le pareció verse entre ellos. El taxi comenzó a aminorar la marcha y Daniel supo que se dirigían a la Escuela de Mecánica de la Armada. Un edificio blanco, similar al turbante de la Giménez en aquella película con Sandro, que no dejaba de resultar aterradoramente siniestro. Como un fantasma todavía maloliente por su propia muerte.

—No te muevas hasta que yo regrese a buscarte con el superintendente.

—¿Qué vamos a hacer aquí?

—Vos quedate quieto. Sin mover las manos. Sin decir nada. No abras la boca. Y, por esta vez, de verdad, Daniel, no me hagas quedar mal.

El padre salió del coche y esperó delante de la inmensa puerta también blanca, hasta que un oficial de uniforme negro, altas botas, guantes, abrigo y pistolas tomó los documentos que su padre le ofrecía. Daniel, todavía hoy, volvía a sentir un largo y terrible escalofrío. De pronto, Daniel notó un quejido en el interior del vehículo. Giró la cabeza sin encontrar nada, ni siquiera esa mancha de carmín que su madre siempre lamentaba. El oficial reapareció y asintió ante Emilio que, con sudor en la frente, volvió al taxi, subió, encendió el motor y condujo hasta la entrada. Las puertas cuadradas, blancas y pesadas, se abrieron. Daniel pensó que eran como las puertas de la mansión donde los esperaría la propia Mirtha Legrand, quizá vestida también de blanco, con pieles y un caniche. En cambio vino a recibirlos un militar de uniforme marrón, cuajado de medallas y pequeños galones, con su gorra en la mano y una expresión muy seria al ver en el taxi al crío. El vehículo parecía completamente ajeno a ese entorno de edificios acuartelados, esparcidos en un terreno sin jardines. Todo lo envolvía un silencio extraño, como si algo estuviera ocultándose. Ni un solo árbol. Algún tanque. Muchos *jeeps* que hasta entonces Daniel sólo había visto en las películas de guerra. Convoyes, recordó, ése era el nombre. Su padre abrió la puerta del taxi. Daniel también salió.

—Quedate ahí, firme. No muevas las manos. No abras la boca. No me hagas quedar mal.

Daniel ni siquiera movió un pie, aterrado por las indicaciones de su padre. El hombre uniformado avanzó hacia él.

—¿Así que te gusta el fútbol, Daniel?

No le disgustaba y lo jugaba más o menos bien en los entrenamientos. Incluso su profesor de educación física hablaba de su flexibilidad y de su rapidez para seguir la pelota con la mirada y calcular la jugada.

—Sí —respondió el padre, rápido.

—Emilio, dejá hablar al pendejo.

—Sí, señor. Me gusta mucho.

—Eso está muy bien. Sí, sí tiene buena pinta tu hijo, Emilio. Cualquiera pondría en duda que fuera hijo tuyo, hombre —añadió el militar y Emilio rió con un ánimo que Daniel desconocía.

—Sí. Por una vez algo me salió bien.

—Ya sabés que no te puedo garantizar nada, Emilio, pero... son tantos los favores que te debemos, ¿no? —comentó el general, agregándole a ese «¿no?» una nota de insidia, de perversa complicidad, que provocó en Daniel otra vez ese golpe de miedo y sudor frío. De nuevo el quejido largo. Pero ahora el general también lo había sentido, por eso hizo una señal a dos de los oficiales. Éstos se acercaron al coche, abrieron el maletero y sacaron un saco que no dejaba de moverse y de gemir. Emilio miró a Daniel suplicándole inmovilidad absoluta.

—Andá ahora mismo, Emilio. Total, estás aquí y ese amigo mío, que también me hizo favores como vos, te atenderá. Ojalá este muchacho te jubile bien del *remise*.

—No es un *remise*, señor. Es tan sólo un taxi —se apresuró a corregir Emilio.

—Ya, ya, Emilio, pero es que quiero que pronto las cosas cambien para vos. Y, claro, también para todos los compatriotas.

El hombre se alejó mirando de nuevo a Daniel, detenido allí, delante del taxi negro, rodeado de hombres armados y vestidos de uniforme, en un extraño espacio blanco que no tenía el *glamour* del turbante de la Giménez y sí todo el mutismo de un hospital de enfermos silenciosos.

El coche se dirigió a la Ciudad Deportiva del River. De nuevo las mismas palabras: «no te muevas ni abras la boca». Más cigarrillos. Más sudor en la frente del padre. Y otros señores, esta vez vestidos con trajes de impecable paño azul marino, relojes caros en sus muñecas, zapatos de ante marrón oscuro, bigotes cuidados, ojos de un azul hielo, y a lo lejos... el campo de entrenamiento: futbolistas moviéndose sin cesar alrededor de un hombre gordo de pantalones blancos. Eran los jugadores del River. Daniel sintió otro sobresalto, y aunque no le enloquecían tanto como su universo de Andrea del Boca, sí le emocionaba ver allí, tan cerca, a los ídolos de sus amigos de colegio. Qué joder, al día siguiente podría decírselo a Claudio. «La sorpresa que se llevará, aunque a lo mejor ni siquiera se lo cree.» Emilio aparcó el vehículo y bajaron. Su padre se acercó a un caballero. Estuvo un rato hablando con él. El viento acercaba conversaciones prohibidas y le entregaba retazos de lo que se decían los dos hombres: «Sí, ya me ha llamado Bermúdez y, claro, no hay donde ponerlo ahora mismo, pero se entiende que usted ha hecho muchos favores a los del edificio blanco». Su padre asentía con la cabeza. «Mire, esto no es usual, pero, claro, al final vendrá la historia y nos pondrá a todos en nuestro sitio, ¿no cree?» Emilio volvía a asentir. «Aunque ahora, Argentina está en la bisagra. La bisagra de la historia, no lo olvide. Y algunas cosas que suceden y no son del todo buenas se entenderán con el paso del tiempo.» Emilio miraba hacia Daniel y Daniel evitaba la mirada volviendo sus ojos hacia los jugadores que abandonaban el campo de entrenamiento.

—Que regrese mañana. Ya le daremos el uniforme. Hará la prueba con los preseleccionados que nos envían desde Santa Fe. Son un poco salvajes, como todos esos santefecinos llenos de ñandúes y demasiada pampa. Ése es el problema de Argentina, amigo Emilio. Demasiada pampa.

Y ahora, después de veintitantos años, estaba allí, delante de esa mancha infinita que el sol manejaba a su antojo, donde su padre esgrimía el silencio como única defensa para evitar que recuerdos, torturas y quejidos emergieran con la misma fuerza que la tierra le negaba a sus cultivos mal regados.

En algún armario descansarían sus camisetas del River, las medallas de plata y de bronce que nunca insuflaron ánimo suficiente para luchar por una de oro en las competiciones prejuveniles que la Ciudad Deportiva le exigía.

«Los libros que le dejaste traer a casa tuvieron la culpa», le recriminó Emilio un día a su mujer. Se equivocaba el padre. Rebelarse contra la orden paterna de no mirar a los lados fue el inicio de su desobediencia. Hacia el frente no era suficiente para Daniel, jamás lo fue. Su curiosidad necesitaba más dimensiones. Y miraba a la derecha, por ejemplo, en la avenida Libertador, donde un año la noria, que era *La Rueda de la Fortuna*, dejó de moverse y ese parque de atracciones pasó a convertirse en una desolada colección de cacharros, en un museo no reconocido de la infancia para los nacidos en 1965: un túnel del terror donde no existía aún Freddy Kruger, sino fantasmas de sábanas pestilentes por el sudor de sus actores o brujas demasiado parecidas a las del Mago de Oz. Sus primeros besos con Carla, a la que nunca llegaron a crecerle las tetas, no fueron allí como él deseaba —ella lo consideró estrambótico—, sino detrás de los bosques de Palermo, donde se acercaban nutrias de verdad a comer trozos de pan seco. Daniel, ya con dieciséis años, salía de su entrenamiento en la Ciudad Deportiva a las siete y media y se encaminaba a su encuentro con Carla y las nutrias. Y mientras los mamíferos devoraban el pan, Daniel se dejaba llevar por Carla y sus peticiones. «Metémela», reclamaba ella. Daniel, en cambio, quería un poco de tiempo, esperar algo más; tanto que Carla fue la primera mujer en llamarle «maricón de mierda» y contarlo a todas las chicas del instituto, que le silbaban a su paso o siseaban frases despectivas: «No le gustamos las minas. Prefiere los pantalones cortos de los futbolistas».

Más adelante, y con otra chica que quería saber lo que Carla había hecho en el parque de las nutrias, Daniel volvió a ese pequeño escenario de crímenes no ejecutados. Y acarició y besó sus tetas y sus labios ávidos. Pero esa vez el habitual trozo de pan seco para las nutrias fue sustituido por una mano que las divertidas criaturas habían reducido a tres dedos. El grito de la joven atrajo a la policía y la presencia de la policía atrajo a la prensa. Y mientras un algo inexplicable apartó tanto a Daniel como a la chica de toda sospecha periodística y policial, la mano devorada por las nutrias desató una campaña informativa, y finalmente Daniel supo qué eran las torturas y los presos políticos.

En ese año, 1983, el taxi que nunca fue bautizado desapareció. «Te lo quitaron, Emilio.» «No, se fue, como se fueron los militares.» Y Daniel vio por primera vez y bruscamente la conexión entre esa visita a la Escuela de Mecánica de la Armada, el militar de galones, los hombres de uniforme negro, el taxi y los quejidos de aquel saco que se movía. De hecho, al poco tiempo se sabría que ese lugar de puertas blancas era un campo de concentración. Emilio, por tanto, había prestado a esos asesinos algún tipo de servicio ajeno a los habituales de un taxista. Y su incursión en un club tan selecto como el River se debía a esos favores.

El mutismo de su padre empezó por acrecentar la furia de Daniel y cuando éste le increpaba, Emilio gritaba: «Yo no le respondo a un maricón». Daniel siempre fue feroz ante esos ataques. «Sos un cobarde de mierda. Llevabas gente a esos hijos de puta en tu taxi de mierda.» Su madre lloraba sentada en la pequeña cocina del piso de San Telmo.

Daniel no quería terminar como sus padres: cobardes y dóciles ante unas fuerzas militares que hicieron del país una celda de asesinos y víctimas. Daniel quería alejar el odio de su vida. Por eso, tras abrir El Dorado junto con Sergio, decidió en el 92 abandonar la casa familiar en San Telmo e irse a vivir con Bárbara y el propio Sergio; esa casa que Emilio y Giuliana también abandonarían al poco tiempo para trasladarse a la pampa seca e infinita.

Y ahora, ante la planicie de Trenque Lauquen, y con los fantasmas del pasado militar en su cabeza, Daniel miraba a su madre y recordaba a Marlene Dietrich en *Los Juicios de Nuremberg*, cuando Spencer Tracy le preguntaba si sabía que estaba casada con un asesino nazi. Ella, impecablemente vestida, la madre auténtica de ese turbante que la Giménez vistiera, responde: «No sabíamos nada, señor. Créame. Nosotros, la gente, las esposas, las madres, no sabíamos nada».

De noche, Giuliana, con el pelo rubio mal teñido, trinchaba un pollo empequeñecido y se esmeraba en colocar los trozos diminutos en platos agrietados, Daniel enumeraba lo que deseaba decirles. Que sus amigos, más que irse, lo habían traicionado. Que estaba pasando una temporada con ellos, con sus padres, para evitar los posibles problemas legales por el incendio. Que no tenía dinero alguno. Y que a su vuelta a Buenos Aires se instalaría en la tienda de los espejos.

—Daniel, vamos a cenar —llamó su madre con la voz seca de no usarla, de no gritar, de no gemir.

El hijo fue hacia la cocina y pensó en Bárbara, que una vez lo acompañó a pasar unos días a esa casa tan lejos de Buenos Aires. «Las paredes estaban llenas de arañas, Daniel. Nunca imaginé que los dos viniéramos de familias tan pobres.»

«La crisis paraliza», concluyó Daniel observando a su madre que llevaba los platos a la mesa. La crisis paraliza aunque permite que los días continúen marcando las horas y estrujando la existencia en las pupilas y en el alma. La crisis inmoviliza las sombras y acerca a los desamparados: él y sus padres agrietados como los platos donde un pollo enfermizo esperaba reproducir, en vano, el milagro de los peces. Mientras, la televisión repetía sin cesar frases y siglas que sí cumplían el milagro de la multiplicación. Fuera, delante de las ventanas, como siempre, la pampa absorbía la noche de la misma manera que el destino vampirizaba a estos tres comensales ahítos de tristeza.

VI

28 DE MAYO DE 2002

Los ejecutivos de Univisión habían conseguido que la sobrina de don Francisco siguiera como presentadora de la nueva etapa de *Viaja hacia ti mismo*. Por eso mismo, creían adecuado que Andrés cenara con ella esa noche en el nuevo restaurante de Emilio Estefan. «Oh, no —pensó Andrés—, ¿por qué siempre en los restaurantes de Emilo Estefan?» Por una vez deseaba ir al China Grill sin tener que pagar la cuenta y pedir muchos *pancakes* de langosta. Además, la fachada del China Grill era uno de los nuevos símbolos del *downtown*; cambiando de color continuamente como el interior de las limusinas. Sin embargo, los restaurantes del imperio Estefan eran como grandes centros de acogida para aspirantes latinoamericanos a estrella. Patacones, el inevitable congrí, el mojito bañándolo todo y los ejecutivos de televisión comiendo manitas de cerdo con sus propias manazas, aún más bovinas. Era cierto: lo peor de Miami llegó cuando Estados Unidos, en un momento histórico que todos conocemos como Guerra Fría, decidió entregársela a esos cubanos enamorados del carbohidrato.

Después de rechazar la idea de ir a la playa con Victoria, su amiga y arquitecta, no tenía nada que hacer hasta la hora de la cena. Sus ladillas, meses después, se mantenían firmes e impertérritas. Andrés andaba poco menos que desesperado. Contra todo pronóstico seguían allí. Ningún producto podía con su tenacidad superviviente. Andrés había leído que un hombre de Nueva Orleans sufrió durante ocho años unas ladillas que resistían cualquier antiparásito. La explicación era que el peculiar clima de la zona favorecía la fecundación. No había querido ir a la playa porque con el bañador los parásitos terminarían por notarse. Además, Victoria siempre se empeñaba en ir a la frontera de la calle 12: la odiosa playa gay; una playa de hombres musculados que escuchan la peor música del mundo. Porque, ¿quién dijo que los maricones oyen buena música? Eso pudo ser verdad a finales de los setenta, con el Studio 54 y el auge de la música disco, pero desde entonces el gusto homosexual había ido por todo tipo de derroteros y a estas alturas era casi peor que el de los vendedores de la teletienda. ¿Dónde había escuchado a una niñita de seis años cantar «I will survive?» ¿En una playa o en Madrid, antes de venir a Miami?

Desde la portería de su edificio le informaron, en castellano, que la limo le esperaba en la puerta. La cena de los ejecutivos sería a las diez, «estilo español», así que disponía de unas seis horas. ¿Un poco de *shopping* en los *malls?* Sí, para impregnar de ladillas los Gucci o los Banana Republic. Llamó a la portería.

—Ramón, ¿me pones con el conductor?

—Soy Conchita, Andrés. Ramón está en la piscina porque hay un niño que se está quitando la ropa.

—Qué críos. Pásame con el chófer, por favor —siguió Andrés. Él también se quitaba la ropa en vacaciones con sus padres. El conductor apareció de inmediato.

—*Do you have a cd on the car?*

—*Yes, sir, but I much rather 103.5 radio. They put all the eighties hits* —agregó el chófer. Andrés no lo conocía. Debía de ser negro y no rubio, como él los prefería. Pero un conductor negro hablando inglés en Miami era lo más Mississippi.

—*I'm bringing my cds and take me up...* —estuvo un instante barajando nombres de calles mientras debajo de su balcón nuevos veleros y yates cruzaban las tranquilas aguas del Atlántico— *... up Collins Avenue.*

—*Any number in particular?*

No, pensó Andrés, ningún número en particular.

Cuando se inicia un viaje, ¿hay que saber el destino? El de sus padres los condujo, ese fatídico 2 de septiembre del 98, al fondo del Atlántico entre algas y monstruos marinos deformados por el agua nocturna; un destino que, sin embargo, debió aterrizar en Ginebra. El suyo, su destino, llevaba años errante desde que en 1979 sus padres le inscribieron en un internado de Pennsylvania, The George School. Allí compartió pupitre con las herederas de la revista *Time,* que lo llevaban a sus casas de Gracie Square en Nueva York y se dejaban follar por él mientras le decían «*you are so meditarrenean*». Y Andrés las besaba con lentitud, pensando que algún día visitaría Barcelona y vería ese mar y por fin se encontraría a sí mismo. Pero su destino siguió siendo un viaje extraño cuando el *college* lo instaló definitivamente en Nueva York hacia 1982 y cursó dos años de *Communications* en esa universidad llena de judíos e hijos de fortunas latinoamericanas. Allí conocería a Melisa, y Nueva York más que una ciudad sería su casa, el domicilio donde vivió la muerte de la chica en enero de 1985 y la explosión del sida. Pero el sida tenía otro compañero aún más brutal: el despiadado capitalismo de la era Reagan, cuyo legado cayó en el aburrimiento y en la histeria de los años «papá Bush». Y entonces su destino volvió a errar, hacia Boston, primero, y luego hacia ese Madrid de finales del 85 que visitaba intermitentemente desde siempre. Durante su estancia española —casi un año—, también conocería Barcelona para descubrir, por fin, una ciudad todavía no abierta al mar y para acabar definiéndose más atlántico que mediterráneo. Vuelta a Estados Unidos, domicilios varios y problemas con la coca, hasta que en el 95, con treinta años e instalado en Miami, la televisión se convirtió en su verdadero hogar, el sitio donde podía ser todo lo que le apetecía. Versaces con pinzas o sin pinzas, Mediterráneo o Costa Este, hortera o europeo, enamorado o viudo. Desde entonces sus viajes eran en limusinas y procuraba concretar muy bien dónde le llevaban. Hasta que ese precario equilibrio se rompió cuando tomó otra limusina, pagada por la aerolínea Swissair, sin luces fluorescentes, hacia el ayuntamiento de Manhattan, junto a dos lesbianas ricas y suizas; dos mujeres que lloraban la muerte de una amiga en el trágico accidente que también había asesinado a sus padres. Agradeció que sólo se llorara en ese trayecto. No quería hablar con nadie. Ni siquiera quería recordar a su madre vestida de azul celeste, muchos años atrás, cuando vieron en un pequeño cine de Londres *2001: una odisea del espacio*. Comieron después una tarta de fresas en una panadería cercana mientras ella respondía a las preguntas del niño. «¿Era buena la computadora, mamá?» «Nadie es del todo bueno, Andrés. Ni del todo malo. La computadora tenía más miedo que ellos, porque al ser más inteligente sabía que iban a morir.» «Es cierto, mamá, pero al final, en la película, nadie muere, sólo cruzan el infinito y se reencuentran. En una habitación extraña, sola, curiosamente amueblada. Sin tiempo, ni edad, ni década definitiva...»

Andrés nunca tendría cuerpos que velar porque el Atlántico, egoísta y avaro, se los había tragado. Pero si los hubiera velado, ésa seria su oración de despedida: si alguna vez cruzamos el infinito, conseguiremos reunirnos en una habitación con nuestros muebles favoritos, con las ventanas abiertas y el espíritu tranquilo.

Observó Collins Avenue desde la panorámica de su limusina. No, querido viajero, no es una avenida cualquiera en Miami. Es la entrada a una dimensión desconocida. Sube desde Miami Beach hacia el peligroso infinito y deja atrás los perfiles expresionistas de los históricos rascacielos *decó* como el Delano. El batir de la espuma atlántica mece la sombra de sus habitantes y la brisa se adentra en porches que escupen céspedes desordenados, y más adelante cafeterías latinas con carteles de Pepsi Cola con menús idénticos: frijoles, arepas, arroz con pollo, en un castellano sin consonantes. «Siga, siga», decían los ojos de Andrés, una vez más cargados de lágrimas en ese viaje por Collins que solamente él podía entender. A la altura de la calle 45 surgían, como los violines de una orquesta en un teatro vacío, vampiros desperezándose al atardecer: los grandes edificios levantados en la década de los cincuenta; construcciones con forma de barco y con olas que subían y subían por encima del mismo mar. Y así como aparecían los edificios de los cincuenta, le seguían los años sesenta y la calle llegaba exactamente a esa numeración y allí estaban los casinos: el Impala, cuya terraza aérea parecía un platillo volante estampado contra sus rocas de rojo terciopelo, y el Thunderbird, idéntico al coche que unió perfectamente los cincuenta de la posguerra con la rebeldía de los sesenta. «Tu padre siempre quiso tener un Thunderbird, Andrés», le decía su madre. Sus lágrimas resbalaban ahora más gruesas. El conductor observaba por el retrovisor y deseaba detenerse, pero un gesto de Andrés le indicó que continuase. Una joven, de pelo largo, muy negro, y vestido violentamente rojo, salía de un portal.

—*Please, slow down* —ordenó Andrés—. *And turn on... cd three...*

—¿Robbie Williams, *sir?*

Andrés asintió. La joven avanzaba como si no se percatase de la enorme limusina que había decidido seguirla. Andrés observó el vestido rojo fuego. Era una falda estilo años cincuenta, de un raso que por momentos parecía deshacerse. Quizá por el sol de una tarde de mayo. Pero había algo más en ese traje. Era el corpiño, absolutamente ceñido a un pecho robusto, de un blanco amenazante, a punto de brotar. No llevaba medias, aunque completaban el traje un par de zapatos blancos. Robbie Williams atrapaba todo el *dolby* de la limo y cantaba: *Yo hablaré y Hollywood me escuchará. ¿No parece absurdo que todos ellos comprarán cada una de mis palabras?* Andrés parpadeó. El sol, al caer en las esquinas de los edificios azul mar con arabescos dorados y balcones de acero cromado, parecía transformarse en miles de cristales arrojados contra la construcción. La chica movió sus zapatos de blanco repelente y agitó su mano hacia la limo. Ambos tenían el mismo tono de blanco.

Al frente se levantaba la silueta del Fontainebleau, el edificio que había logrado erigirse en referencia de la ciudad y que formaba parte ya de la historia de Miami. Fontainebleau: simbiosis de *french can can* y nuevorri-quismo vaquero. Los viejos casinos continuaban cambiando de nombre y geografía. El Suez, con una jirafa pintada en un lado y con una enorme esfinge, sin nariz, al frente. Poco después, el Mónaco y sus escaleras de

Fred Astaire bailando un improbable Maquinavaja. «Oh, Dios —quiso gritar Andrés—, nunca dejes de adornar Collins Avenue con este delirio.»

La chica empezó a mover las manos como si quisiera que la limo se detuviese. El conductor esperó una respuesta de Andrés que no obtuvo. La chica avanzó unos pasos más hasta casi llegar al insólito edificio abandonado que rompía la panorámica de Collins con un inmenso trampantojo en toda su fachada: un arco custodiado por dos figuras mitológicas que parecía una puerta extraordinaria por donde abandonar la realidad. Justo después vendría el verdadero Fontainebleau con su enloquecido vestíbulo de cristales y columnas. Pero antes de alcanzar ese cruce de arquitectura y delirio, la chica giró y avanzó hacia un edificio de color coral.

—*Stop the car* —dijo Andrés mientras Robbie Williams cantaba «Something stupid» junto a Nikole Kidman. La chica, cuyo rojo evidentemente se camuflaba en el coral, abría una enorme puerta de vidrio verdoso y entraba, despidiéndose con una gran sonrisa.

Al bajar del coche, Andrés sintió una hojarasca, como de otoño, como de película melodramática cuando algo terrible va a suceder. Y no era tal. No había hojas en la acera, ni enfrente, ni alrededor del Fontainebleau.

—*Should I wait, sir?* —preguntó el conductor.

Andrés pensó en el infinito de *2001* y escuchó la voz de Sinatra en el disco de Robbie Williams cantando «It was a very good year». Supo que esos violines, los de su canción favorita, eran la hojarasca que no existía.

—*No. Don´t wait. I´ll stay here.*

La puerta de vidrio verde era pesada, pero no estaba cerrada. El espacio para los nombres en el telefonillo de la entrada carecía de identificativos. Entró y vio el mármol veteado del *hall*, nuevos corales mezclados con marrones similares a erizos. Un par de caballitos de mar gris perla le daban la bienvenida. Y escuchó esa música...

Un señor está muriendo asfixiado. Le falta el aire: lo rodea una muchedumbre nerviosa agolpada a la puerta de un banco. Daniel observa sin inmutarse, como si estuviera en Nueva York en una situación similar. No ha estado nunca en Nueva York, pero en esa ciudad no existen jubilados como éste, con aspecto de inmigrante gallego, camisa devorada por el sudor y por el aliento de la muerte. Alrededor, gente alborotada que interrumpe el aire que el viejo necesita; gente que clama justicia e insulta al gobierno y a los bancos.

Hoy, evidentemente, tampoco ha podido retirar sus ahorros. Vuelve a San Telmo, a la tienda de espejos antiguos, que es ahora su casa. Entra y mira a su alrededor. Están todos estos espejos. Pero sin dólares ni trabajo, ¿quién querrá adquirirlos? De hecho, esta mañana sólo han pasado delante de la tienda hombres marrones mirando al suelo.

San Telmo fue, quizá, demasiado turístico en los noventa. Tan cerca del puerto, siempre tuvo ese aire de barrio de mercado, de compra y venta, de casas pintadas con los colores característicos del puerto.

Después del éxito de El Dorado, Sergio y Daniel decidieron convertir en negocio de compra-venta la afición de Daniel por los espejos. Con tal fin se hicieron con la casa ruinosa de los padres de éste cuando ellos dejaron la ciudad. En esa casa Daniel y su familia se habían sentido pobres; una casa en muy mal estado con una escalera de piedra blanca agredida por el tiempo.

Pero Sergio, como siempre, vio la belleza donde no existía. «O donde alguien cruel ha decidido ocultarla, no lo olvides.» Y juntos decidieron restaurar la vivienda con sus propias manos. La escalera siguió conservando manchas negras en algún escalón, pero Sergio abrió un hueco en el falso techo de escayola y consiguió que la luz diera directamente en el rellano. Lijaron la pared detrás de esa escalera, descubrieron un ladrillo de tono avellana y colocaron una hiedra a un lado. Arriba, la segunda planta enlazaba habitaciones a través de un porche con columnas. ¿Qué fueron estas casas de San Telmo, antepasados o herencias de Atlanta? ¿Recuerdos napolitanos con mano de obra, ya entonces, más barata?

28 de mayo y sin noticias de Bárbara ni de Sergio. Afortunadamente el incendio fue controlado a tiempo y el fuego no se extendió por el resto del edificio. El seguro, sin nadie que reclamara la póliza, se hizo cargo de

la burocracia. 28 de mayo. Hoy no hay nadie. Sólo él y sus espejos y la noticia en las radios y las televisiones del jubilado muerto ante el banco cerrado. Esos espejos pronto serían inútiles, y esa tienda, que fue próspera, cursi y marica, terminaría como todas las cosas cursis y maricas: olvidada y desechada hasta que nuevos sergios y danieles la recuperaran.

«Si todo el mundo tiene un doble, ¿dónde está el mío? —preguntaba Daniel al espejo—. ¿Tendrá mi edad? ¿Habrá nacido el mismo día, o tan sólo con unos meses de diferencia? ¿Conocerá las mismas películas que yo? ¿Le gustará *2001: una odisea del espacio*? ¿Le gustará la escena en que viajan hacia la estación espacial Clavius?»

Y la llegada a la luna, ¿cómo la habrá vivido su doble? ¿Narrada por un locutor que alcanzó la gloria sólo por traducir lo que decía el periodista americano que, de verdad, estaba inventando la gloria para todos ellos? ¿O quizá su doble estaba en América, con cuatro años, *short* de algodón de Virginia, escondido de la mirada de sus padres que brindarían con cerveza? Los suyos bebieron vino y se comieron a besos mientras el hombre avanzaba en lo desconocido. En Argentina, por ejemplo, hubo asados especiales entre la clase alta. Así se lo contaría Sergio, que sabía cuánto disfrutaba Daniel con esos detalles. Los Madero —los mismos del Puerto—, amigos y socios de Onassis, los que encontraron el cadáver de su hija Cristina en el baño de invitados, dieron una fiesta con televisores repartidos por toda la casa. Brindaron con champán. Bailaron con una orquesta de tangos. Invitaron a unos gauchos de sus haciendas de Mendoza a representar bailes tradicionales. Argentina sabía mejor que nadie celebrar la conquista de la Luna. Porque ella misma, una vez más, era el fin del mundo y a la vez la lejanía lunar.

Su doble compartiría con él otras cosas. Flipper, que siempre saltaba antes de que aparecieran recuerdos más importantes. *La laguna azul,* con Brooke Shields y ese chico que desapareció y seguramente dejó de ser bello... Christopher Atkins. Sergio le contó que los españoles, siempre marcando diferencias absurdas, habían masculinizado la romántica laguna. «Más castiza imposible, *El lago azul,* tío», decía Sergio poniendo voz gruesa y llena de zetas.

Pobre Christopher Atkins, Daniel no lo tuvo colgado en un trozo secreto de su armario, como Sergio, porque él, Daniel, estaba enamorado auténticamente de Brooke. Siempre estuvo enamorado de todas las Brookes, aunque se llamaran Bárbara. De hecho, nunca le gustaron los hombres como a Sergio, aunque eso era fácil, porque Sergio devoraba hombres. Y tampoco deseaba que Brooke, esa niña maravillosa de pelo tan largo, portada del *Time* antes de los quince años, envejeciera. Cuando tomó esa decisión tajante, la de morir al cumplir los treinta y siete, secretamente ambicionaba que Brooke también le hiciera compañía.

¿Su doble querría también morir? Daniel creía que sus deudos le llorarían más que a cualquier persona tan sólo porque moría joven. Veía su entierro como una demostración masiva de afecto y dolor. ¿A su doble le sucedería igual? ¿Le pasaría, como a él, que necesitaba recrearse en esas imágenes varias veces al día para seguir adelante? Se alimentaba de su propia muerte, porque veía que su vida era inútil. No por los espejos, por la ausencia de Bárbara y Sergio o por la Argentina sin dinero para garantizar funerales. Era inútil desde su propia creación. ¿Qué puede aportar alguien nacido en la mitad de los sesenta, con Kennedy muerto, Vietnam en marcha, Marilyn convertida en mito absoluto o los Beatles condecorados por la reina Isabel? La historia ya había sembrado sus propias minas cuando Daniel nació en 1965.

La tarde era tranquila desde la planta alta de esa casa de espejos. El Río de la Plata era una inmensa mancha color oliva. Antes de la catástrofe financiera había veleros saliendo de Puerto Madero.

Caminó hacia la Facultad de Ingeniería con sus inmensas columnas, doce en total, como apóstoles de la inmensidad. Y sus escaleras de Partenón infinito. «Ay, América, necesitas ser una nueva Grecia cuando nadie se ha olvidado de la antigua.» Después pasó tras la Casa Rosada. Recorrió el parque de árboles enormes y sintió la humedad caliente del río. No había nadie en la calle. Desde que la crisis estalló, la gente pasaba las tardes en sus casas viendo noticiero tras noticiero. Podría morirse allí mismo como un mendigo, debajo de un árbol en una plaza, y nadie lo recogería: sin entierro importante, sin ni tan siquiera un e-mail para Bárbara y Sergio, estén donde estén...

Fue a Puerto Madero con sus restaurantes de carnes maravillosas, asquerosamente llenos de aquellos que «se negaban a que la crisis de un mal gobierno» arruinara sus tradiciones. Pero si se miraba bien en su interior, había mesas vacías y la mayoría de la gente comía ensaladas, pastas y poca carne. Argentina sin carne. ¿Sería esa la próxima noticia de la crisis? «Terminaremos —pensó— comiéndonos unos a otros o comprando carne en mal estado, como los serbios después de la guerra de los Balcanes.» Quiso bajar hacia el nuevo Sheraton, tan de vidrio, acero y blanco nuclear como el aeropuerto de Ezeiza. Un grupo de guapos modelos argentinos grababa el *spot* de un coche con cara de «aquí no pasa nada». Lo miraron como si él fuera el único pobre de la crisis. Entró en el *hall*, que parecía el invernadero de algún planeta al que Barbarella jamás viajó. Recordó, muy a su pesar, la fiesta de inauguración, cuando Susana Giménez vino hacia ellos y los besó. A Sergio y a él, claro. Y escuchó las frases denigrantes de Sergio sobre la decoración del lugar: «Sala de té inglesa con todas estas cuarentonas operadas en Miami».

Volvió a la calle y, dejándose llevar por lo que no hacía desde mucho tiempo atrás, se acercó al paseo. Árboles más grandes, menos coches y más hombres. Sí, era un lugar de ligoteo, a veces peligroso. Siempre había jóvenes drogados. Nunca le gustó que Sergio lo llevara allí, porque tenía que quedarse en una esquina, solo, mientras su amigo se iba hacia el parque con tipos cada vez más peligrosos. ¿Por qué no iba él? Siempre las mismas preguntas. Siempre distintas respuestas. Le convenía mantener su ambigüedad, porque atraía a más personas a su alrededor. Además, estaba su elegida castidad. Pero ahora estaba aquí, solo, delante del río, sin Sergio, sin todos esos «admiradores» de su supuesta ambigüedad. Y, lo peor, sin Bárbara, a la que nunca pudo decirle lo más verdadero: te quiero. Te amo.

Retuvo las lágrimas mientras los hombres continuaban su desfile. «¡Cuánta gente para lo temprano que es!», pensó. Cuando acompañaba a Sergio, la escena no comenzaba antes de las diez de la noche. Miraba a su alrededor. Algunos tenían su edad y parecían profesionales. Uno de ellos fumaba un cigarrillo y lucía manchas en los bolsillos de su chaqueta comprada varios veranos atrás. Otros temblaban. Un coche con dos señores mayores se detuvo delante de un rubito veinteañero y sostuvieron una charla. Daniel sintió repulsión cuando observó cómo manipulaban billetes de cinco dólares en sus dedos. ¡Eso nunca había pasado cuando venía con Sergio! El profesional en paro de su edad observaba con recelo la negociación y buscaba captar la mirada de Daniel. Confirmó el titular: «Sin carne en Argentina, los bonaerenses descubren la prostitución». Eran ellos mismos el asado.

Fue hacia la entrada del parque natural, producto de los islotes de plancton y algas que el río creaba en su ecosistema. Un policía vigilaba su acceso, sin mirar hacia la evidente zona de prostitución. De niño, Daniel venía con sus padres a contemplar los misterios del río; un río que les daba la vida y su única historia. Hoy no vio ninguna familia, sino gente sola que estiraba billetes delante de la taquilla para salvarse a sí misma en una naturaleza menos sórdida.

Giró hacia los rascacielos de la avenida Libertador. Cuando Sergio y él abrieron El Dorado en el 91 sólo había uno, el Sheraton. Ahora eran doce dinosaurios imponentes y modernos. Telefónica, por ejemplo, con su línea curva y unas letras verdes encima. Según Sergio, era un nuevo Miami. Para Daniel más bien parecía una ciudad Lego. Y más que dinosaurios, aquellas construcciones eran los robots de su infancia en los setenta; robots que se movían solos por las noches en las habitaciones; robots que hablaban como el pérfido Hal de *2001* o como el adorable, casi mariquita, doctor de *Perdidos en el espacio*. Entrecerró los ojos y casi escuchó a Sergio hablándole al oído: «No, Daniel, Hal no era pérfido. Sólo tenía miedo a ser atrapado por el infinito y no regresar a casa. Y el doctor de *Perdidos en el espacio* nunca fue adorable. Era una maricona mala, y las mariconas malas nunca están de moda. Nunca son...». Y dejó de escucharle. Adorable y divertido fueron sus palabras comodines cuando El Dorado era una fiesta permanente y los arquitectos de estos rascacielos acudían al bar para celebrar cada ladrillo, cada metro cuadrado de prosperidad.

Daniel volvió a mirar los edificios. Le dolía la nuca y un trozo de alma. Entre lágrimas de su infancia siempre perdida, lamentó que su ciudad, Buenos Aires, hubiera conquistado el espacio y lo reflejara en sus calles para luego perderlo otra vez.

Rodrigo miró el último bloque del programa de Trinidad. Quiso apagar la imagen justo antes de que su esposa terminara de despedirse, pero no lo hizo. Era un gesto maleducado y grosero dejarla allí, sin audiencia, hablando e invitando a una nueva emisión, a un «nuevo viaje a través de los misterios de la vida...».

La casa era un silencio mortal hasta que en cuarenta y cinco minutos el coche de la cadena llevara a Trinidad y ésta se dirigiera a la cocina para tomarse el vaso de leche muy fría que lograba hacerla dormir.

Rodrigo regresó a su estudio y encendió el ordenador. En la pantalla, otrora blanca, aparecía un minucioso y precioso plano de una casa donde se leía: *Proyecto 13, Casa Pumares*. Sonrió al sentarse en su silla roja de Charles Eames que había comprado gracias al primer pago de Juan, el pez gordo de la cadena de su mujer. Siguió sonriendo mientras con el ratón iba limpiando algunas esquinas de la sala de cuatro metros de altura e inmensos ventanales de una sola pieza, unidos por una gruesa franja de acero. Sí, muy Mies, desde luego. Nada podría ser mejor para un ejecutivo que había adquirido un terreno en una meseta artificial tan fuera de Madrid que en realidad podría ser las afueras de Burgos. Quería enviarle un nuevo correo electrónico al pez gordo: «Estoy entusiasmado, cojones», que era lo que más le gustaba decir al cliente. Pero ya había mandado demasiados de esos e-mails.

La una menos cuarto. Trinidad estaría desmaquillándose. Él decidió abrir uno de los cajones de su escritorio de nogal oscuro y extrajo... el libro: *Obras y proyectos de Ignacio Luis Noble*. Papá, por supuesto. Miró una página aún más marcada que las otras. «Residencia León, proyecto I.» Y allí estaba, mucho mejor dibujada y mucho más atrevida en la relación altura, vidrio y acero: la imagen original de la casa donde vivió de niño el pez gordo y que Rodrigo, febril —necesitaba decirlo en voz alta—, repetía con minuciosa precisión.

¿Por qué imitaba a su padre? En un principio, porque deseaba ver el momento en que el pez gordo le dijera: «Ésta es mi casa de niño, cojones». Rodrigo estaba seguro de que si eso ocurría, él tendría las palabras exactas para convencerlo de la necesidad de vivir en una repetición de su infancia. «Como si cruzaras un umbral y regresaras al mismo lugar del que partiste, sólo que mejor, más sabio y más hombre.» Eso le diría.

Respiró hondo. Le molestaba hablar consigo mismo y utilizar tacos y expresiones de asco o repudio hacia los demás. Entonces vio el cajón aún abierto y recordó sus contenidos secretos.

Rodrigo había cambiado, sí, eso ya lo sabía —«cojones»—, y aprovechó para apropiarse algo más del pez gordo. Y había cambiado desde el nacimiento de Jimena. No, antes, mucho antes. Había empezado a cambiar cuando Trinidad le pidió que se casase con ella y él se miró en uno de los espejos de su casa y supo que acabaría renunciando a sí mismo.

En los ochenta, la cocaína y él fueron nombre y apellido. ¿Quién lo iba a decir, sentado en esa silla roja, con batín y unos interiores largos, casi hasta la rodilla? Sí, el hombre es capaz de transformarse en lo que desea. O, mejor dicho, en lo que desean los demás. En ese cambio, ahu-

yentó de su entorno no sólo papelinas y billetes enrolla-
dos, sino también teléfonos de tipos con nombres de camello: Pepe, Javi el Araña y aquel tan simpático, medio
gay, Rollito. Todo eso fue enterrado en un hueco más o
menos elegante que él cavó en el jardín trasero de la casa
de sus suegros. Trinidad le ayudó a colocar una losa con
un epitafio: «Aquí yace un salvaje». Pero el pasado no se
puede arrancar de la memoria. Y en la cabeza de Rodrigo
yacían otras cosas más difíciles de enterrar, como las canciones de Adam Ant. Por ejemplo, «Prince Charming»,
con sus aullidos y ese sonido de caballos avanzando en la
lejanía y esa letra ambigua, sexy, comercial al punto de
la estupidez para algunos, menos para él; música que se
recordaba bailando en la oscuridad de una casa en Malasaña junto a la Innombrable. La Innombrable..., el amor
que su sentido de la responsabilidad obligó a traicionar.

Quiso entrar ahora en el cuarto de Jimena y verla
dormir, pero desistió. Estaba harto: cada vez que recordaba a la Innombrable corría a ver a su hija para sentirse
bien, para sentirse a salvo de su traición. Fue valiente y
se quedó sentado en su Eames roja, solo, consigo mismo,
mirando el plano perfectamente copiado de la casa de su
padre. Y entonces escuchó el aullido de los caballos, los
golpes de los tambores y la voz quebrada de Adam Ant
gritándole *Prince Charming. El ridículo no es nada de lo que
avergonzarse. Nunca te canses de mostrarme que eres guapo,
príncipe encantador.*

VII

28 DE MAYO DE 2002

Andrés llevaba horas delante de los hipocampos grises. La canción de Adam Ant ahora se había convertido en «You drive me crazy», de Fine Young Cannibals. Ésa era la música de su fiesta de cumpleaños —veinte concretamente—, en la casa de la calle Doctor Arce, cuando sus padres tuvieron que regresar a Madrid por un tiempo. Uno de sus amigos presumía de haber pasado la noche encerrado en un baño del Rock-Ola con gente que convertía el lavabo en un nuevo y sofisticado camarote de los hermanos Marx. «Estaban todos allí, Andrés. Y tú tendrías que haber estado también, cabrón.» Incluso Adam Ant, gracias al relato de ese amigo, se confirmaba como un enano, aunque gigante, en esa belleza que te vuelve hembra sin que puedas remediarlo.

Ese mismo amigo, Christopher se llamaba, que hablaba francés del Liceo, cambiaba los discos de vinilo en el tocadiscos, a pesar de que el gran regalo de esos veinte años fuera precisamente el primer lector de compactos que sus amigos recordaron ver en España. De todos modos, un maxi en vinilo de Alaska y Dinarama se convirtió en el éxito de la fiesta: «Jaime y Laura». Y esa voz grave y secreta de Olvido inundando la vida de complicidad y sarcasmo: *Jaime escucha tras la puerta. Jaime quiere ser el mejor.* Y él, Cristo y los demás, bailando y agitando las manos y sonriendo y elevando los brazos hacia el techo cuando gritaban: *el mejor...* Luego se dejaban llevar por la fascinación de las letras. *Eres el rey del glam. Nunca podrás cambiar. Ajeno a las modas que vienen y van, porque tú, tú, tú eres el rey del glam.* Y todos esos amigos, quizá por ser su cumpleaños o quizá porque Andrés siempre tuvo ese porte de triunfador, esa sonrisa de conocer lo mejor del mundo y revelárselo al propio universo, le apuntaban y Andrés bailaba moviendo ligeramente las caderas, enfilando las puntas de sus zapatos y agitando el pelo con una cómica parodia de vedette. Sus felices años ochenta. Oh Dios, pensar que ahora estudiosos de las universidades de América empezaban a hablar de los ochenta con la nostalgia que la propia década creó como lenguaje frente al siglo.

—Ven —dijo una voz en un castellano propio de *Miami Vice.* Andrés miró de nuevo los hipocampos y observó que le sonreían y asentían al unísono. Se giró hacia la calle y le pareció ver que el casino Mónaco cambiaba su lugar por el de Suez y que las olas del Atlántico, siempre próximas, estallaban delante del rosado hormigón del Fontainebleau.

Entonces vio a la niña-mujer que había seguido su limusina en Collins Avenue. Creyó atisbar más maquillaje en su rostro, como si el tiempo que él estuvo detenido frente a los hipocampos le hubiera adjudicado más edad. Quiso comprobar si le había sucedido lo mismo a él, pero el espacio rojo de luces agitadas carecía de espejos.

Andrés se encontraba en un edificio extrañamente castizo para ser Collins Avenue. Esperaba una construcción de pisos más aireados, de balcones con puertas de cristal deslizante y suelos de mármol veteado en varios rosas. Esperaba paredes más beige, sin cuadros, o quizá con un papel pintado de hélices rojáceas u olas entrando en una variedad *ad infinitum* de verdes y azules.

Pero este lugar no era así. Además, a lo lejos, en vez del rumor del océano o el calor balsámico de Miami, Andrés escuchaba la voz de Alaska: *Mil campanas suenan en mi corazón. Qué difícil es pedir perdón. Ni tú ni nadie*, aquel éxito que bailó tantas veces la Nochebuena del 85 en el único año de vida *consecutiva* en Madrid. Una temporada que le sirvió también para dejar de lado el dolor por Melisa, fallecida a principios de aquel mismo año.

—*Watch the carpets* —le dijo la niña-mujer, sin girarse hacia él y siempre avanzando en ese pasillo interminable de sofás rojos y barras con cristales salpicados de otras gamas de rojo con destellos de violeta y fucsia. Una joven, también con aspecto de mujer luchando contra su edad, comenzó a bailar delante de él. Lucía una bandana en la frente, muñequeras y calentadores en las pantorrillas, a pesar de ir vestida con una vaporosa falda blanca y un ajustado top negro de una manga. Andrés logró fijarse en las botellas de las barras a ambos lados del pasillo y en principio no notó nada extraordinario. Absoluts, Bombays, Beefeaters y Smirnoff, sólo que para ese ojo agudo, el ojo de quien busca elementos innovadores para el éxito, los envases no eran iguales a los que veía normalmente. Tenían un aspecto menos aerodinámico y ligeramente más tosco.

Se dio cuenta en ese momento de que sus ladillas llevaban un rato sin manifestarse. Eso le hizo girarse con la misma brusquedad que resaltaba de los envases; un gesto muy característico en él, como si de pronto quisiera suspender el tiempo mismo para poder cambiar las cosas. Pero nadie se detuvo. Al contrario, nuevas figuras entraban por la puerta que él acababa de traspasar y el remolino de rojos y rosas se agitaba con la cadencia de una batuqueo suave, mareante y lejano. Tocó su entrepierna y la notó quieta y tan rasurada como la dejó esa misma mañana, en un último afán por librarse de sus incómodos visitantes. La niña-mujer había desaparecido de su vista y se sintió nervioso, como cuando con veinte años, Christopher lo llevaba a burdeles en Barcelona y Sevilla y lo dejaba solo rodeado de mujeres que reían y bailaban a María Jiménez. Veinte años, esos veinte años tan presentes en su cabeza desde que se detuvo frente a los hipocampos. Y miró de nuevo hacia las barras y una chica vestida de rosa chicle y mascando un ídem le invitaba a pedir una copa. Con veinte años Andrés bebía rusos negros, una abominable combinación de vodka y licor de café, a la que él agregaba Coca-Cola, para ser siempre diferente. La chica aceptó su orden, aunque Andrés no recordaba si la petición había sido hecha en inglés o en castellano. Es más, tuvo la sospecha de que tan sólo había pensado en el ruso negro cuando la chica ya le sonreía colocando todos los licores en un sofisticado vaso de cóctel. Y entonces ocurrió. Vio las botellas de Coca-Cola y sintió el primer estremecimiento de una larga noche. Las botellas de Coca-Cola eran distintas a las de cualquier bar. Pertenecían a otra época. Más anchas, más largas, con el cuello más grueso y el vidrio más verde. Ese verde botella que había dejado de existir precisamente en el año 85. Era una de sus frases favoritas a la hora de sorprender a los ejecutivos de las cadenas de televisión: «El ritmo del tiempo lo marcan varias cosas, la mayoría ni siquiera las recordamos. Como las botellas de Coca-Cola. Las de los años cuarenta no son iguales a las de los treinta. E, indiscutiblemente, las de ahora no son en nada similares a las de los ochenta. En definitiva, cada década tiene su botella de Coca-Cola».

La niña-mujer volvió a su encuentro, con patines y un estrecho uniforme dorado compuesto de chaqueta de motero, minifalda y medias también doradas.

—Va a venir Duran-Duran —le dijo con una espléndida sonrisa, como si aquello fuera lo más normal del mundo.

—Pero, ¿qué lugar es éste?

111

—Un *revival* —dijo ella con la misma sonrisa y con los años desapareciendo como arañas asustadas bajo su maquillaje de sombras rosadas y lilas.

—¿Un *revival* de qué?

—Un poco de todo. Como las botellas de Coca-Cola, *darling*. Van cambiando con las décadas y hoy hemos decidido rendirles un homenaje. Por eso hemos querido que estuvieras aquí, *love*.

—¿Hemos? ¿Quiénes?

—El tiempo y yo, que me llamo Catalina.

Catalina lo llevó hasta el final del pasillo con sus patines, que se deslizaban sobre la alfombra con una estabilidad delirante. En el trayecto, las botellas de Coca-Cola cumplían con sus requisitos de identificación del tiempo. Las de los años cuarenta eran consumidas por chicas con peinados a lo Verónica Lake: una parte del pelo rubio teñido cubriéndoles un tercio de rostro. Las de los años cincuenta estaban sujetas por chicos disfrazados del sempiterno Elvis. Chicas con el ombligo al aire y grandes cardados a punto de chocar contra el techo bebían en unas botellas claramente de los sesenta, un poco más pequeñas pero siempre con ese verde transparente y seductor. Las de los setenta estaban en poder de guaperas con patillas extensas y chaquetas de cuero encima de pechos hirsutos. Y luego, las del 85: igual de gruesas pero con ese aspecto de peligrosa agonía.

—¿No hay ninguna de los noventa o de 2000? —inquirió Andrés con su voz quebrada.

—No hagas más preguntas, Andrés, y déjate llevar. Estamos aquí para divertirnos.

Junto a una fila de patinadores vestidos de dorado que agitaban los brazos al ritmo de Xanadú, Andrés descubrió un cuarteto de chicas de negro, también con minifaldas muy cortas y blusones de hombreras gigantescas, como las del rey del *glam,* y ojos maquillados por espesas sombras oscuras. Recordó haber visto ese estilo en la tienda de Gucci en Nueva York, antes de bajar a Miami, y recordó también cómo había pensando que los ochenta regresaban, lo que se confirmaba en ese maquillaje de ojos. ¿Quién lo habría impuesto? ¿Siouxie and the Banshees? Seguramente se llevaba antes de empezar la década. Sería algo así como una herencia mapache del punk. Andrés rió mientras las cuatro chicas lo miraban con la distancia típica de las modelos en los primeros vídeos de la MTV.

En la constante mutación musical de la fiesta, Andrés escuchó trozos de «Avalon», la canción de Roxy Music que lo transportaba al tiempo vivido junto a Melisa en Nueva York.

Se agitó su respiración. Siempre pasaba cuando Melisa decidía colarse en sus pensamientos: ella aparecía recién llegada de su entrenamiento de natación sincronizada y entraba en el apartamento de Mercer Street con ese olor a cloro detrás de las orejas. Cuando le habló de ella por primera vez a su madre y le dijo que vivían juntos, ésta no pudo responder otra cosa: «Siempre buscando lo extraño. ¿Cómo puedes tener una novia que haga natación sincronizada?». Andrés reía.

Melisa apareció en su pensamiento con ese gorro de purpurina y esos bañadores que fabricaban en la enton-

113

ces Unión Soviética. Y a él le gustó la combinación de ideas: vivir en Nueva York con una gringa alta y musculada que llevaba bañadores del enemigo comunista. Andrés se reía de Melisa por ser el nombre de dos de las actrices protagonistas de *La casa de la pradera;* lo que enfadaba de verdad a la propia Melisa. Pero, ya era suficiente recordatorio...

Las chicas vestidas de negro, que miraban como en los vídeos de la primigenia MTV, continuaban elaborando sus poses, mientras el rumor de «Avalon» se extinguía. Y la niña-mujer que le había introducido en ese extraño apartamento discoteca patinaba con el grupo de xanadús dorados. Andrés debía relajarse: una vez más estaba donde mejor sabía estar, es decir, en medio de la sorpresa, de lo inesperado.

Eran curiosas esas jóvenes de negro, porque habían conseguido a la perfección ese *look* ochenta; incluso el excesivo cardado del pelo, todo levantado hacia arriba, mezcla absoluta de *Eraserhead* y *La novia de Frankenstein.*

Para olvidarse en ese momento de Melisa y así no echarse a llorar de repente, Andrés empezó a hacerse algunas preguntas. ¿Por qué le gustaba tanto acumular datos si vivía de programas de televisión que generaban una información vacía de contenido? ¿Necesitaba dichos datos para sentirse libre de pecado? ¿O era, y aquí sí que lanzó la gran carcajada, una cuestión generacional? Los nacidos en el 65, con más de medio siglo transcurrido, seguramente habrían sufrido mutaciones genéticas hasta convertirse en personas con características de esponja. Rió. Si conociera a alguien de su misma edad, en otro país, seguramente podrían estar horas hablando de programas de televisión, de películas, de estilos de mujeres, pero, sobre todo, de los ochenta: porque ésa había sido la década donde fueron adolescentes y veinteañeros y estuvieron pegados a MTV, y luego a los sucedáneos de vídeo-show que se repartieron por el mundo. Recordaba el año vivido en Madrid, cuando veía todos los programas dedicados a vídeos musicales. Recordaba también a esas presentadoras españolas de peinados desafiantes y apretadas minifaldas y blusas asimétricas que hablaban de Wham y Bananarama como si el inglés, por primera vez en sus vidas, hubiera dejado de ser una materia imposible de aprobar. ¡Y el auge de los primeros vídeos españoles! En ese mismo año fue *Japón* de Mecano el primer vídeo que, de pronto, le hizo sentir que de verdad España era diferente y que Ana Torroja era como un nuevo tipo de chica: submarinista, algo repipi, pero con el aspecto de mujer viajada que luego Andrés veía tantas veces en la comunidad española de esta América donde vivía; esta América siempre acusada de ser vulgar, torpe y hortera en comparación con Europa.

Rió con satisfacción. Se sentía bien, e incluso percibió a la niña-mujer enviándole una sonrisa desde la hilera de patinadores dorados. ¿No estaban hartos los más críticos con América de calificarla de hortera? ¿Acaso no existe en Europa un sitio tan hortera y abigarrado como Mónaco? ¿Acaso la horterada no era también un legado europeo como casi todo en la vida? Si sus amigos españoles, los que están y los que desaparecieron, pudieran ver este lugar mágico y misterioso, ¿no disfrutarían con estos sofás de falso capitoneado, al estilo que *Dinastía* había impuesto a la decoración mundial? Ah, *Dynasty.* Miércoles noche. Melisa y él se reunían con dos chicos gays de la universidad para ver la serie en un bar de Bleeker Street donde a veces venían punks y jazzistas ortodoxos a gritarles maricones.

En los ochenta todo fue grande, exagerado y absurdo, aunque sin olvidar que casi todo es recuperado de una década a otra. Las décadas son los verdaderos vampiros de nuestra existencia. Nos hacen vivir cosas originales en apariencia, cuando realmente vienen recicladas desde antes, desde mucho antes.

Más recuerdos y un ligero mareo, como si su bebida y todas esas coca-colas estuvieran salpicadas de un elixir de nostalgia. «Recuerda más, Andrés —le decía ese agitado estado de su cabeza—. Recuerda a Nastassja Kinski deslizándose por la copa de Martini en *Corazonada* o bailando delante de un atribulado Harry Dean Stanton en *París, Texas.*» La mujer de la que deseaba enamorarse tenía que parecerse a la Kinski, pero al final fue Melisa, con su olor a cloro y su cara de niña de pueblo americano, la que conquistó su corazón. Fue muy intensa la tarde en que vieron juntos *París, Texas.* «Oh, no, cerebro, por favor —suplicó Andrés—, no me hagas recordar esa película. Recuerda otras cosas. Piensa en algún programa de televisión.» Kim Novak en *Falcon Crest* o sus amigos españoles descosiéndose en risas ante el nombre Skyler Kimball.

Sí, era cierto: el concepto de *glamour* americano a veces rizaba el rizo, pero al menos hacía reír al espectador

sofisticado. Y lo enganchaba, como estaban engancha-
dos todos a *Falcon Crest,* incluyendo a sus padres.

Rió de nuevo. Se sentía muy bien en ese espacio.
¿Pero qué era este lugar aparecido de la nada en Collins
Avenue? ¿Por qué Catalina continuaba patinando sobre
el mismo círculo con toda esa gente dorada? Y seguían
volviendo esos recuerdos de un año donde sufrió la pér-
dida de Melisa y tendría problemas con la coca, pero
también fue feliz en España mientras se acercaba a los
veinte años y descubría por qué deseaba entrar en la televisión: vivimos en un solo recuerdo que cambia de sitio y de personas, pero que sobrevive al tiempo mismo.
La televisión divierte al mundo con sus propios recuerdos. Ése era el secreto.

Andrés derramó una lágrima mucho tiempo atrapada. La que no expulsó cuando firmó el certificado de
defunción de sus padres en el 98. La que no expulsó
cuando Melisa dejó de ejecutar un movimiento en su rutina de natación sincronizada y esas aguas que la dejaban marcada por el cloro se volvieron su sepultura cris-
talina.

—*Oh, no,* Andrés. *You are wrong* —le dijo Catalina,
acudiendo a su lado y abrazándole—. Melisa no está
muerta. Está aquí junto a nosotros en el año 85.

VIII

—He hablado con mi padre de tus sudores. Además, estás cada día más delgado —dijo Trinidad, preparándose en el baño para la enésima entrega de premios de televisión.

Rodrigo vio al fondo del cajón de sus calcetines una foto suya cortada por la mitad. La Innombrable había estado ahí.

Trinidad apareció en la puerta del baño. Otra vez espectacular. Perfecta dama joven de la televisión española.

—Sé que me has prohibido hacerlo, pero...

—Trinidad, no quiero que me hables como a un invitado de tu programa.

—No me vengas con lo del programa, Rodrigo. Esto es serio. Duermes en un charco de sudor. Te toco por la noche y estás frío. Con los ojos abiertos. Te estás que-

119

dando en los huesos y en sueños repites constantemente el nombre de Jimena.

—Estoy nervioso por la casa de tu pez gordo.

—Estás enfermo, Rodrigo. Y tienes que reconocerlo.

Rodrigo enardeció.

—Sigue, sigue, *madame* regresión. Llévame a tu programa una noche de estas y sométeme a un viaje. ¿A qué año me llevarás? ¿A qué etapa histórica? ¿Las cruzadas, adonde van el setenta por ciento de tus invitados de mentira? Todos han visto al Cid. Todos han forjado la gran nación que somos hoy día. Llévame. Devuélveme al año en que me conociste. ¿O no tienes coraje suficiente para recordar quién era y en lo que me has convertido?

—Eras un drogadicto —dijo la perfecta presentadora que esa noche se había vestido para recoger el premio de la recién creada Academia de las Ciencias de la Televisión Española.

—Estaba enamorado, Trinidad.

—Tus sudores son otra cosa. No quiero convertir esto en una conversación idiota. Es serio. Mi padre me exige que vayas a su consulta.

—Y yo tendré que ir, como casi todo lo que hacemos en este matrimonio. Tengo que acompañarte a otra entrega más de premios para tu programa. Tengo que llevar a Jimena un día más a su colegio, para regocijo de su profesora, que me considera el padre modelo de este país.

—Que sepas que no la llevo a causa del insomnio que me crea verte temblar por las noches nombrando a Jimena.

—Ya. Lo siento. Siempre soy la causa. Al menos la profesora confirma que tú eres una mujer más entregada a su profesión que a su hija y a su marido.

—¡No puede pensar eso!

Rodrigo sonrió sabiendo que había pulsado la clave correcta, una estrella de la televisión teme más que nada la opinión de su público.

—Peor. Me lo ha comentado mientras Jimena se iba a jugar con sus amiguitas. Me ha dicho exactamente: «A veces las mujeres estamos condenadas a confundirnos en nuestras prioridades».

Trinidad lo miró furiosa.

—Esa profesora es incapaz de hablar así.

—Te sorprendería lo leída que es. Por supuesto, se queja de algo: está a punto de perder ese hábito maravilloso por ver tu programa de regresiones.

—Entonces me respeta como profesional.

—Oh, desde luego, *madame* televisión. Pero como madre te encuentra confundida.

—Jimena ha sido lo mejor que he hecho en mi vida. Y no me acuses de hablar en titulares. Nuestra hija nos salvó a ambos. A ti, de tus fantasmas. Y a mí, de saber que por más que te tuviera a mi lado, jamás ibas a amarme como todavía espero que hagas.

El llanto contenido de su esposa recordó a Rodrigo las escenas de Skyler Kimball en *Falcon Crest*, cuando tenía que luchar para no revelar su doble personalidad.

—Estoy listo para llevarte a otra noche más de gloria, Trinidad Velasco.

Pero, Trinidad Velasco, la rutilante estrella, salió de la habitación sin decir palabra, con los ojos cubiertos de lágrimas bien cuidadas para no arruinar rímel alguno.

Jimena acercó una bandeja de anacardos a su padre.

—Sólo como anacardos en el Real Madrid-Barcelona —dijo Rodrigo, envuelto en una manta.

Jimena se acomodó junto a él en el sofá de la sala, sujetando el mando con esa precisión que derrochaba en cada gesto.

—Mamá se merece el premio de esta noche.

Jimena encendió el televisor y apretó el *mute* al ver que emitían anuncios. Rodrigo la abrazó. Jimena no dijo nada al sentirlo frío.

—Os escuché pelear, papá.

—No ha sido una pelea. Es que estoy nervioso.

—Esa casa que estás diseñando es igual a una que ya construyó el abuelo, ¿no?

Rodrigo asintió mirando los anuncios. La televisión había cambiado. Hace casi veinte años no veía más que programas de vídeos musicales y esperaba el capítulo de *Falcon Crest* para contemplar todos esos viñedos en la llanura californiana que una vez fue española. La publicidad era más tosca y sólo lograba fijar un producto en la memoria. Ahora los anuncios que veía junto a su hija retenían atmósferas, canciones, cuerpos, peinados. Seguramente ésa sería la gran herencia de los vídeos de los ochenta: una estética que avanza en los pasillos de lo subliminal con mayor velocidad que otro mensaje.

122

—¿Por qué estás copiando al abuelo, papá?

—Porque no tengo ningún talento, Jimena. He estado años estudiando una profesión que me venía heredada y nunca lograré hacerlo bien. En cada esquina de esta ciudad siempre hay algo que me recuerde que él fue superior. O bien un edificio suyo, o bien otro que yo haya tomado prestado de los que él diseñó, u otro que haya influenciado a mi propio padre.

—Pero eso le sucede a todo el mundo, papá. Tú mismo has dicho que vivimos una época donde nada es original.

—Tú, tú eres original, Jimena. Y nuestro cariño también lo es. Por eso sigo aquí...

—Pero, cuando vean esa casa terminada, ¿podrán saber que la has copiado enteramente?

—Sí.

—Es como si estuvieras de acuerdo con tu crimen.

—Sí.

—Una vez me prometiste que me ibas a diseñar una ciudad —recordó Jimena con los ojos fijos en la televisión.

—Ya ves que muchas veces alimentamos nuestras propias mentiras, Jimena. Yo no puedo diseñar ciudades, ya están todas hechas. Sólo puedo redecorar casas como ésta..., o mentirles a los clientes con plagios de mi padre.

Jimena cerró los ojos como si tuviera dolor de estómago. Sabía que era capaz de entender las palabras de su padre, pero le molestaba tener tan sólo nueve años y no poder salir a la calle para pedir ayuda y gritar un dolor cada vez más grande. Era triste para ella ser así, la niña educada y callada, que sabía más de lo que su edad podía permitirle.

En la pantalla del televisor apareció el logo de la entrega de premios. «Bastante feo, por cierto», pensaron padre e hija; pensamiento que no necesitaban compartir porque sus manos se entrelazaron. Un largo paneo entre los invitados mostraba un público vestido como si acudiera a una mezcla de carrera de caballos y coronación de un jeque de provincia árabe desconocida. Al finalizar, el paneo se detenía en Trinidad, con gesto serio pero con los ojos hipnotizados por su inminente triunfo.

—Bella y elegante —musitó Rodrigo.

—Está pensando en nosotros, papá —dijo Jimena.

La voz en *off* dio paso a la presencia de María Luisa Mercador, celebradísima presentadora de la mañana. Simpática, diurna, próxima, María Luisa felicitó a cada una de las finalistas del premio «Dama Joven de la Comunicación». En el *videowall* se fueron viendo las candidatas en sus respectivos programas con las muletillas que las caracterizaban. Trinidad apareció la segunda, diciendo: «Mira hacia tu futuro y descubre qué fuiste en el pasado». La ola de aplausos volvía a convocar un paneo que cerraba con la amplia sonrisa de María Luisa y abría un sobre azul celeste. El nombre de Trinidad consiguió que la mano entrelazada a la de su hija se estrechara aún más y que Jimena se dejara caer en su regazo helado.

De inmediato, Trinidad asió los brazos de su butaca y se dejó besar, algo trémula y cargada de responsabilidad, por su acompañante (ni más ni menos que el pez gordo a quien Rodrigo diseñaba una casa copiada a su padre). Trinidad salió hacia el escenario sosteniendo el largo traje morado de escote bañera y lo levantó levemente para que sus sandalias también moradas y de alto tacón no le jugaran una mala pasada. Besó a María Luisa con el afecto de una hija a su madre y con el respeto de la recién aceptada en el súmmum de la academia a la mujer que ya ha cosechado todos los galardones. Tomó el premio y lo contempló unos segundos. Los justos. Miró al público que le gritaba «guapa» y habló con una voz levemente quebrada por la emoción.

—Sólo quiero dedicar este premio... a mi hija, Jimena, que debe estar viendo el programa junto a su padre. Ella ha cambiado nuestras vidas y muchas noches ha echado en falta a su madre, atrapada en el pasado y el futuro de todos vosotros. Quiero agradecerle su paciencia. Y, una vez más, su amor, que cada día me ha traído más y más suerte. Gracias.

En la tormenta de aplausos, el rostro de Trinidad dejaba escapar las lágrimas del éxito. El paneo la siguió hasta que volvió a su asiento con su estela de elegancia violácea. Un grupo de músicos apenas vestidos tomaron el escenario batiéndose al ritmo de su éxito. Jimena volvió a apretar el *mute* y estiró los brazos para hallar el abrazo de su padre.

—Jimena, estoy enfermo de sida —dijo Rodrigo.

IX

CRECIENTE EN AGOSTO DE 2002

Daniel llegó a su antiguo domicilio en la calle Rivadavia y miró a Josefa, la portera.

—Vaya, pensé que habías muerto en el incendio de ese antro —dijo la mujer, vestida de negro. Olía a cebolla y a carne picada, aderezada con el perenne aroma de mate y tabaco que cubría las paredes de aquel habitáculo que llamaban portería.

—Siempre tan simpática, Josefa. Quería hacerle una visita y ver cómo está todo...

—Ya, ya... ¿Y por qué no te fuiste con tus novios a España?

Daniel, que siempre detestó a Josefa por el desprecio que sentía hacia ellos, se rió con lo de «novios». Siempre que podía, cuando los veía entrar a los tres —Bárbara, Sergio y él— hacia las ocho de la mañana, después de cerrar El Dorado, los miraba de arriba abajo, captaba el olor a estupefacientes y tabaco y mascullaba: «Buenos días, novios». Él se enfadaba mucho. Hoy, quizá por la enorme confusión de un Buenos Aires sin dinero, todo eso le divierte.

—¿Y cómo sabe que están en España? —preguntó.

—Porque Sergio mandó un cheque pagando el alquiler que debían. Seguramente estarán vendiendo su cuerpo en Madrid, pero al menos los dueños del departamento se han tranquilizado. Sólo que ahora tendrán que esperar muchas lunas para que vuelvan a alquilar.

—¿Tan mal lo hemos dejado?

—¡Si no había nada más que ratones y fotos de ustedes tomadas en ese antro! Yo no he tocado nada, ni loca entro en ese latrocinio. Pero, como nadie sabe qué hacer con el departamento ni con nada en esta mierda de país, te puedo dar la llave por si querés recuperar algo...

—Todavía no tengo tanta hambre como para comerme las ratas, Josefa.

—Te sorprenderían lo ricas que quedan con poca sal, gracioso.

El piso tenía las ventanas abiertas; las mismas ventanas donde él estuvo detenido observando a los jóvenes la noche del 31 de diciembre. Hoy el sol calentaba suavemente el frío del invierno argentino. Trozos de periódicos revoloteaban por el aire gélido del apartamento. La cocina mostraba unos cajones abiertos donde ni siquiera había un cuchillo dentro. De la puerta de la nevera habían desaparecido los imanes, con nombres de películas, que Sergio coleccionaba. Tan sólo un bote vacío de lavavajillas. En el pasillo, la madera del suelo se veía más levantada. Seguramente por abajo corrían las ratas de las que Josefa hablaba. Vio su habitación llena de manchas en las paredes. Allí donde había apilado sus *wallpapers* sólo quedaba una sombra producto del sudor de la imprenta. Sintió un breve nudo en la garganta: creía que al menos sus revistas habrían conjurado una fuerza especial contra el destino para lograr sobrevivir. Pero ya no estaban. Ni su ropa. Ni sus perfumes. Nada.

Cuando, tras el incendio, decidió desaparecer y pasar una temporada en Trenque Lauquen con sus padres, Daniel fue antes al piso, cogió la ropa necesaria y se fue. Y ahora, después de muchos meses, se atreve a enfrentarse a su pasado y descubre que no hay nada. Ni siquiera las fotos en las paredes ni en el suelo. Sabía que Josefa mentiría. Seguro que habría estado curioseando y se habría llevado ella misma las fotos de Sergio con las luminarias de la televisión y el teatro que visitaron El Dorado. O tal vez el propio Sergio se las habría llevado para impresionar a los madrileños. El resto se lo habrán quedado los dueños del apartamento, o incluso la misma Josefa.

No tenía que haber vuelto. Sabía que esto podía ocurrir: había pasado demasiado tiempo como para que todo siguiera en su sitio. No debía haber vuelto, pero el desempleo llena el día de horas muertas y su cabeza divagaba y divagaba al tiempo que su cuerpo lo hacía por las calles de la ciudad gélida. «Este invierno austral, que aparece cuando en el *Hola* todas vienen en traje de baño, nos impedirá ser del primer mundo, che.» Eso decía Sergio con el piso repleto de personas dispuestas a reír cualquiera de sus comentarios.

En 1992, el día de la inauguración de las Olimpiadas de Barcelona, Sergio organizó una fiesta en honor a Noah, un jugador de fútbol que habían conocido en El Dorado. «No sólo es la calidad física, cariño —decía Sergio en sus invitaciones telefónicas (era capaz de decir lo mismo, palabra por palabra, en más de cien llamadas)—, sino el nombre insuperable. Noah, como si viniera a salvarnos. Es alto, americano, fuerte, moreno y futbolista. ¿No te parece que es como si Rock Hudson estuviera enviándonos un milagro? Sí, cariño, tenés que venir, aunque sea sólo para verlo. Copa a las nueve y algo de baile. Luego nos marchamos a El Dorado, donde vamos a regalarle la Copa Dorado. Divino, sí. No sé qué equipo lo contrató, da igual. Lo que es maravilloso es que al fin tengamos un futbolista nacido en El Dorado.»

Fue una fiesta más que divertida, porque cuando Noah al final apareció, aunque con mucho retraso, Sergio había roto algunas copas de champaña en una desesperada actuación de anfitrión despechado. En ese salón cubierto de cojines, con dos sofás que apenas dejaban espacio para moverse, Sergio había reunido a los escritores de moda, las actrices de moda, los camellos de moda, los diseñadores de moda y hasta una vieja gloria de la televisión argentina, la actriz Marta Arizmendi, que acababa de grabar su muerte como abuela en una telenovela. «Ya conocés el dicho del teatro porteño: nadie muere igual que la Arizmendi», comentaba Sergio a todos los que se acercaban a la leyenda ataviada con zorros blancos y traje de lentejuelas que, de seguro, Sergio sugirió para su fiesta. En realidad, si Noah hubiera decidido no aparecer, la fiesta habría confirmado que el éxito social de Sergio no necesitaba más medallas.

Pero su necesidad de superarse a sí mismo le llevaba a crear la histeria en sus invitados: nos vamos o nos quedamos. Por eso, cuando Noah al fin apareció entre la muchedumbre que arrastraba la fiesta hacia el pasillo del edificio, Sergio asumió su pose de diva molesta y se negó a admitir su presencia, mientras que Bárbara y Daniel recogían la espada abandonada del anfitrionaje.

Noah, previsiblemente, tenía esa inocencia americana que dispara sonrisas y abrazos a todo el mundo. Bárbara lo notó enseguida y se permitió, una vez más, su entretenimiento favorito: jugar con el nuevo muñeco hasta saber a quién elegiría el deportista.

Noah era muchísimo más guapo que otros muñecos precedentes. Estaba interesado en todo: en los artículos de Bárbara para *Clarín,* en la frialdad de Sergio de aquella noche, en los éxitos legendarios de la Arizmendi y en la mirada curiosa y pasiva de Daniel.

Cada vez que Noah se movía para conseguir el saludo negado de Sergio, Bárbara y Daniel se buscaban en el oleaje de invitados.

—Nunca había visto unas piernas tan fuertes. Bueno, quiero decir, sentido —dijo Bárbara—. Cada vez que me habla me pego a ellas, como si tuvieran imanes en lugar de fémures.

—Sé —comentó Daniel— que lo habían fichado para segunda división en Balmes, pero como el equipo se quedó sin dinero regresará a su país. Quiere ser actor.

—De telenovelas, seguro. ¿Cuándo dice que va a regresar?

—En quince días...

Bárbara apoyó el índice en su boca menuda y la otra mano en su cadera, pose estudiada y copiada a Brooke Shields.

—Bien, bien —dijo aún en la misma pose—. Sergio metió la pata con su política de hielo, así que sólo quedamos vos y yo para repartirnos el botín.

—Oh, no menosprecies la capacidad de seducción de la Arizmendi, el pibe no deja de escuchar y reír todas sus anécdotas del teatro bonaerense.

—¿Eso lo confirma como gay o, sencillamente, como que no sabe nada de castellano?

—Lo confirma como educado.

—¿Te gustaría coger con él? —preguntó Bárbara, iniciando ese paréntesis en sus conversaciones que tanto reiteraba.

—No quiero que volvamos a hablar de mi sexualidad.

—Estoy deseando saber si de verdad tenés sexo, Daniel.

—No voy a responderte.

—¿Por qué?

No podía decírselo porque el sexo era el gran «No» para él. A los diecisiete años se vio por primera vez desnudo ante un espejo y le invadió un espíritu de belleza poderosa. En ese momento se hizo una promesa: jamás dejaría que ese don fuera poseído por nada o por nadie. Sergio era el único que conocía tal decisión y también la historia de la única vez que Daniel practicó sexo para no ser virgen toda la vida. Fue con una camarera de la cafetería del teatro San Martín. Habían visto *Máquina Hamlet*, con sus atormentadas proposiciones escénicas. La chica atendió a Daniel, que sufría una fuerte angustia por la lírica y la cruel belleza de la pieza alemana. La joven camarera entendió su estado y lo llevó a un reservado. Allí empezó a besarlo y a decirle lo hermoso que era y a desnudarse mientras él lloraba y disfrutaba de sus besos. Daniel comenzó a recordar los pechos de aquellas chicas del colegio que manoseaba delante de las nutrias en los bosques de Palermo. Sintió cómo ella, la camarera, se volvía un espacio suave y giratorio que él apretaba y soltaba. Sintió cómo ella dejaba escapar un trozo de lengua que le rozaba y que de nuevo volvía a hundirse en un profundo interior al que Daniel deseaba llegar y llegar. Cuando se corrió, creyó que habían pasado muchos minutos. Tan sólo fueron cinco. La chica lo cubrió de besos al tiempo que le preguntaba: «¿Es tu primera vez?, ¿soy la que te inició?». No respondió. Se limitó a mirarse el miembro, bello y grueso, pero completamente flácido, como si algo acabara de arrancarle todas las fuerzas para siempre. La camarera le pidió que volvieran a verse al día siguiente en la puerta de la cafetería a las seis de la tarde. Daniel aceptó, pero al llegar la hora de salir prefirió quedarse en casa viendo el show de Ante Garmaz, donde hablaban de la importancia de llevar corbata y traje a pesar de que la juventud se haya vuelta loca con los tejanos y las zapatillas.

Desde entonces no había estado con mujeres. Ni con hombres. Sentía que en esa sociedad no follar incrementaba su atractivo. Era una ilusión y Sergio así se lo había hecho saber. «Sí, sos bello, pero vacío, sin alma. Algunos te llaman la Dorian Gray, cariño. Y todos piensan que sos gay. Así que ya es hora de que te muevas un poquito y te decantes por algo. Tenés un club entero para cogerte, ¿no te fijas en mí?» Daniel no quería ser como Sergio: ofrecer éxtasis y rayas de coca a los jóvenes más bellos para luego bajarles los pantalones en el lavabo mixto de El Dorado y chupársela mientras sus novias meaban en el urinario de al lado. Sergio disfrutaba con un sexo cargado, intenso. Daniel creía en el amor, sí, como Susana Giménez y sus chulos, o como Mirtha Legrand y su matrimonio con el empresario francés que algunos llamaban el nazi del espectáculo. Creía de una manera menos ridícula, todo sea dicho, que la vida te ofrece una persona que nunca más volverás a encontrar por más que te empeñes en repetirla. Eso era lo único original de la vida. Y esa persona, lo confirmaba noche tras noche, en El Dorado y en ese piso de la calle Rivadavia, era Bárbara.

Pero no podía decírselo. Esperaba cada mañana que ella se diera cuenta por los detalles que le ofrecía. Corregía sus textos y los mejoraba. Cuidaba de su ropa. Siempre tenía flores blancas en casa para ella. Hacía su cama. «Pareces una madre, y en eso te equivocas conmigo. Yo no quiero una madre, quiero un hombre», le repetía Bárbara, cruel y áspera, ejerciendo siempre de periodista. A Daniel no le importaba ese papel de madre. Se sentía recompensado cuando ella reía sus comentarios, cuando se quedaba junto a él a ver el capítulo del programa de Gasalla, o cuando carcajeaban con sus ocurrencias contra el menemismo. Agradecía a Bárbara que pudieran ver juntos la emisión meridiana de *Almorzando con Mirtha Legrand* que Daniel y Sergio vanagloriaban. Seguramente, si Daniel hubiera adivinado que algún día todo terminaría, habría aprovechado esos momentos para decirle que la amaba.

Pero Bárbara habría respondido rechazándolo. «Sos gay, reconocelo de una vez», le dijo en muchas ocasiones.

La noche que Noah se convirtió en el centro de atención de Bárbara, Daniel permitió que la auténtica heterosexualidad del futbolista le llevara la delantera. En realidad estaba cansado de ese aire de permisividad sexual que Sergio y El Dorado fomentaban. Parecía como si chicos y chicas estuvieran siempre dispuestos a conocer nuevos límites sexuales, cuando en realidad no podían nunca recordar exactamente qué habían descubierto debido a las drogas y a los estimulantes que empleaban para traspasar esas fronteras. Se sentía moralista cuando pensaba así, pero lo comprobaba cada vez que asistía a las conversaciones de Sergio con los chicos que la noche antes habían mordido, golpeado y penetrado su cuerpo o se habían dejado penetrar por él. Y en esas conversaciones los chicos inevitablemente negaban recordar lo que Sergio, educadamente, les instaba a no olvidar. En definitiva, era como si el sexo fuera siempre algo que se escapaba, se iba. Luego habría que sumarle al sexo la paridad, la prosperidad, la amistad e incluso la belleza. Daniel prefería no escoger.

Pero la noche en que Noah se quitó la camisa y los pantalones en la habitación de Bárbara, mientras Sergio enviaba a todos a El Dorado y se encerraba a su vez en su habitación con otro chico de nariz moqueante y agradable, contextura morena, nunca tan hermosa como la de Noah, Daniel declinó su costumbre de quedarse mirando los cóndores de hierro en el balcón. En esta ocasión abrió sigilosamente las puertas de cada habitación para ver a Bárbara cabalgando y riendo sobre el cuerpo musculoso y sudoroso de Noah, completamente pasivo ante el ímpetu y las arqueadas caderas de Bárbara. A continuación fue hacia la habitación de Sergio y observó cómo su compañero de vida aspiraba cocaína del pene agigantado de su elegido y jadeaba mientras lo succionaba con gran avidez. Fue entonces cuando escuchó a Bárbara gemir. Retrocedió hacia la otra habitación para encontrarse los dos cuerpos plegados en sí mismos y ella con el cuello estirado hacia atrás abriendo los ojos y sonriendo. Bárbara lo vio, pero no hizo nada. Daniel se escondió detrás la puerta y pensó que jamás sería capaz de hacerla sonreír de esa manera. Volvió al salón mientras el orgasmo de Bárbara se volvía eco en el pasillo. Puso un disco de Pet Shop Boys y estuvo allí hasta que el sol volvió a calentar las alas de los cóndores de hierro.

Daniel quiso cerrar la puerta de las habitaciones antes de marcharse. Aunque vacías, seguramente guardarían los ruidos de esos orgasmos a los que prefirió no unirse. Recordó, una vez más, su parte favorita de *Rebeca*, que tanto él como Sergio recitaban al unísono. Ese capítulo en que la futura señora de Winter se despide de la habitación de hotel donde su vida acaba de cambiar y donde narra los secretos de cada pared, de cada pliegue perfectamente alisado de cada sabana. Daniel había acudido al apartamento sin saber muy bien por qué y, de pronto, supo que algo iba a cambiar para él. Sintió, después de tantos meses de tristeza, un alivio agradecido. ¿Qué sería ese cambio? ¿Se evaporaría, como los orgasmos de Bárbara, su promesa de morir a los treinta y siete? ¿Entraría ella misma, arrepentida y llena de lágrimas, por esa puerta a decirle que siempre entendió su amor en silencio? En efecto, apareció Josefa cargando un paquete de cartón.

—¿Te comiste alguna rata? —preguntó con su sonrisa de dientes amarillos.

—No, sólo los recuerdos.

—Muy simpático... Ahora tenés que irte. No es que venga ningún nuevo inquilino, esos también desaparecieron, pero si viene el superintendente y te ve aquí... me pueden penalizar.

—Gracias por dejarme subir, Josefa.

—¿De quién estabas de verdad enamorado, pibe, de Sergio o de Bárbara?

Daniel no quiso responder. Josefa masculló algo entre dientes y pasó su lengua áspera sobre ellos, quizá para alimentarse del amarillo.

—Tomá. Este paquete lo dejó ella para vos. Intenté venderlo en el mercado negro, pero vieron que era un ordenador muy anticuado y que ni siquiera a los más pobres les iba a servir de nada. Tomá y andate, Daniel. A ver si esta crisis te endereza la vida.

X

12 DE SEPTIEMBRE DE 2002

Andrés estiró los pies en el sofá del doctor Cortezo. Sus calcetines siempre tenían tomates. Recordó que Victoria pasaría a buscarlo para ir a Brooks Brothers a comprar nuevos calcetines: «Hace meses que debías haber seguido el sabio principio de *casa nueva, baby, calcetines nuevos*». Andrés quería hablarle al doctor Cortezo de sus ladillas pertinaces, pero esa mañana, y ya eran más de la una de la tarde, habían decidido no aparecer. Qué putada pagarle a Cortezo doscientos cincuenta dólares por hora de consulta y que las ladillas siguieran desaparecidas tan tranquilas.

Cortezo abrió la puerta.

—Andrés, Andrés, es intolerable. Llevo varios meses esperándote. Tienes las sesiones muy abandonadas y sabes que es obligatorio seguirlas con regularidad.

—Pues, ya ves. Después de recordar el 11 de septiembre, tú y yo tenemos algo *meaningful* para el 12 de septiembre, el terrible día después.

Andrés se incorporó y sonrió levemente al ver que Cortezo miraba los tomates de sus calcetines. «Cortezo es medio gay, seguro», pensó.

—Lo de las regresiones me ha tenido muy ajetreado, Cortezo —agregó más serio.

—Ni nombres ese programa. Es horrible lo que haces con la audiencia, Andrés. Desde que se emite, la gente me pregunta si practico hipnosis regresiva y todo eso. Ayer, en uno de esos restaurantes de Emilio Estefan, decían que la esposa de no sé qué galán argentino se ha divorciado porque él no quería pagarle más sesiones de regresión.

—No es argentino, es venezolano. Y lo siento por tu consulta, Cortezo, pero el programa va de puta madre.

—Los españoles sois peor hablados que los cubanos, hijo. Pero, venga, vamos a lo nuestro. Imagino que tendremos que retomar aquello de las ladillas, ¿no es cierto? Aunque la verdad, no entiendo cómo es posible tanta resistencia a los antiparasitarios.

—Han ido remitiendo en los últimos meses desde que frecuento un lugar que, sospecho..., no existe en realidad.

Cortezo abrió su bloc de fina encuadernación. «Sí, sin duda —reflexionó Andrés—, Cortezo es ese tipo de gay de armario, hijo de cubanos anticastristas y católicos. Seguro que se disfraza de otra persona los días de la *White Party* y se reúne con cuatro o cinco locazas cincuentonas que han estado yendo y viniendo a Key West y que fueron las últimas en ver vivo a Tennessee Williams.»

—No te quedes callado, hombre, que el reloj sigue girando aunque tú no hables —soltó Cortezo.

—¿Conoces algún edificio color coral antes de llegar al Fontainebleau?

—Hombre, Collins Avenue no es *my cup of tea* precisamente —señaló el psicólogo, cruzando las piernas y mostrando unos calcetines largos de hilo escocés. «¡Vaya pedazo de loca! —se dijo Andrés—. ¿Cómo he podido tardar tanto en darme cuenta?»

—Estuve la primera vez —siguió Andrés— hace casi cuatro meses. Después lo he visitado una vez más. Me impresionó tanto que no me he atrevido a contárselo a nadie. Allí me dijeron que Melisa no estaba muerta.

—Están construyendo mucho en esa zona —aclaró Cortezo con naturalidad mientras anotaba en su bloc: «Paranoia alucinatoria. Ha retomado la cocaína»—. ¿Te molestaría que te hiciera de nuevo las pruebas, Andrés?

—Esto no es producto de la coca, Cortezo —espetó Andrés tajante y mirando al edificio de Banana Republic en Lincoln Road. Era un antiguo banco de los años veinte que siempre le había gustado. Incluso ahora, convertido en tienda de moda, mantenía el aspecto de gran banco en el Miami de aquella época. Un Miami que no era otra cosa que un mundo por conquistar.

—Sí, pero es conveniente que te hagas las pruebas. En tu situación actual, a la cadena donde trabajas no le va a gustar que tengas problemas con sustancias ilegales. No olvides, además, que hace meses que no te veo y el control sobre tu estado es obligatorio.

—No soy Robert Downey Junior, Cortezo. Aunque en este país-cárcel todos podemos terminar como él por culpa de esos malditos análisis para saber si seguimos consumiendo. ¿Y cómo no lo vamos a hacer si la puta droga se sigue vendiendo igual en cada calle?

—¿Eso quiere decir que has vuelto a consumir?

—No. No desde hace más de un año —se giró para mirarlo muy fijamente. «Hostia —pensó—, si hasta lleva un poquito de maquillaje en el párpado superior»—. Cortezo, ¿acabas de asumir tu homosexualidad?

Nunca había sido buena idea burlarse de un psicólogo. Cortezo le exigió que se hiciera el examen de consumo de estupefacientes y Andrés se vio obligado a posponer la visita a Brooks Brothers por el laboratorio de drogodependencias; un laboratorio absurdamente ubicado en el centro mismo de Brikell, debajo del edificio del Miami Herald, donde el tráfico obligaría a más de uno a consumir cualquier tipo de tranquilizante. Llevaba muchos años sin visitarlo: desde aquella primera vez en el 96, cuando aterrizó acompañado de unos policías y vestido con pantalones rotos y una sola sandalia. Esa vez no se había pasado tanto con la coca, o al menos así lo creía. Lo que ocurrió fue bien sencillo. En un momento dado vio la ventana abierta de su antigua casa y le apeteció caminar sobre la barandilla del balcón. Pero, claro, las travesuras que la coca hace con tu cerebro son generalmente imprevisibles y, de pronto, mientras oscilaba en el carísimo cromado de la baranda, recordó a su amigo Mandri hacer lo mismo en un edificio del norte de Madrid y desplomarse al vacío. En ese momento sintió la necesidad, como siempre, de hablarle al amigo muerto y de decirle dos cosas: que sabía qué había pensado mientras se precipitaba y que sus amigos lo echaban mucho de menos. De golpe le vino el remordimiento que generalmente acarrea un consumo, como el de esa noche, más bien desaforado, aunque él niegue el exceso. Terminó, como no podía ser de otra manera, aferrado a la barandilla, aullando y suplicando que lo rescataran de allí. No le ficharon, pero sí recomendaron a Cortezo que vigilara periódicamente su consumo de drogas.

La coca, la coca me vuelve medio loca, me tira por los suelos, me arrastra de los pelos, decía una canción de Fabio McNamara que Mónica había traído de España en diciembre. «Lo malo no es la raya —comentaba Andrés—, sino el hecho de que nunca desaparece. Crees que has eliminado a todos los camellos de tu vida y aparecen dos nuevos disfrazados de otra cosa.» Todos los medios de comunicación la condenaban y casi todas las fiestas organizadas por gentes de esos mismos medios la incluían. De hecho, Andrés tuvo que rechazar a un chico extraordinario para conducir su programa de regresiones en la edición española, porque, al parecer, en el concurso que dicho joven presentaba, más de una vez tuvieron que atarle la pierna a una de las patas de la mesa para que no la agitara vehementemente. Pero, cuántas veces él mismo en el 97, trabajando con una productora alemana, fue corriendo al baño a echarse agua porque la piel se le secaba y se le agrietaba a causa de toda la mierda que llevaba dentro. Cuántas veces sintió en el cuerpo la necesidad de meterse una rayita después del gimnasio y otra a las cuatro y media de la tarde para disfrutar de esa cómoda inercia que le iba invadiendo mientras la playa se agitaba. O se agitaban los edificios de Collins Avenue. O los garajes se transformaban en escenarios de películas rapidísimas. Cuántas veces sintió ese apretón digestivo en el propio China Grill y se excusó de la mesa con altos ejecutivos para adentrarse en los baños de fría porcelana, meterse otra raya y sentir que una ola vaciaba sus intestinos.

Fue duro. Siempre hay algo terrible y poco estético en las drogas. Mónica, que reconoció haber estado también muy enganchada, tenía todo tipo de parafernalias y a veces hacía lo que él nunca se atrevió: practicar sexo con cocaína. En el pene del elegido. Espolvoreando su vulva. En la lengua. Andrés procuró no rozar ese límite porque sabía que conducía directo al grado máximo de «Soy un *coke addict*», lo que de hecho le ocurrió a Mónica. Ella acabó en una clínica de rehabilitación en Coconut Grove.

Cruzó las puertas transparentes del laboratorio. Entregó la hoja que decía *Doctor Cortezo´s client number 39.* «Qué número tan raro», pensó y esperó que vinieran a buscarlo. Un mapa anatómico le hablaba de nuevas terapias curativas a través del masaje psicoterapéutico digital. Agradeció a ese mapamundi su presencia e información. A los pocos minutos entró un enfermero francamente guapo, moreno como él, y con el mismo vértigo mediterráneo que le veían aquellas herederas de su colegio. Sólo que este caballero tenía veintisiete años y una sonrisa que le hizo recordar al doctor Cortezo, pero con menos dilemas anticastristas.

—*Where are you from?* —preguntó, serio, Andrés mientras se subía la manga derecha.

—*Ohio, sir. Born in 1972.*

«Hijo de puta», pensó. Para no recriminarle a Andrés su falta de tacto políticamente correcto (no está bien en la América pluricultural preguntar de dónde se es), el tío le anunciaba que era ocho años más joven que él. «Méteme bien la aguja, nena de los New York Dolls, que vas a ver la que armo cuando te saque toda la información sobre esos bares de South Beach donde seguro fuiste gogó.» El caballero de Ohio no se inmutó cuando un chorro de sangre espesa inundó el botecito de muestra.

—He oído que usted no contrata chóferes latinos —dijo el vampiro, siempre en inglés. Andrés miró hacia el fondo donde había un espejo para cerciorarse de que el chico se reflejaba. Sí, se reflejaba.

—¿Por qué le interesa?

—Porque lo he visto en el bar cerca del Fontainebleau. No vaya más por allí. Es un sitio peligroso.

Andrés no tuvo tiempo de preguntarle nada más. El vampiro salió raudo de la sala de curas y una enfermera, gorda y cubana, entraba con gasas, algodones y ese olor de *patacón* impregnado en su cuerpo robusto.

Victoria le esperaba fuera, al frente de su descapotable años ochenta.

—Tienes un aspecto estupendo, ¿te sacaron sangre o te inyectaron nueva?

—He metido la pata preguntándole a Cortezo si era gay. En venganza me ha enviado aquí. Saldré limpio, no te preocupes. Mi última raya fue hace más de un año.

—Antes de ir a Brooks Brothers tengo que preguntarte si quieres que pasemos por la nueva tienda de Aero: han llegado los muebles de Cappellini con los tejidos de Pucci que pueden ser di-vi-nos para tu salón todo blanco. Porque ya es hora de que lo termines de amueblar, ¿no te parece?

—Victoria, no quiero más muebles para esa casa. Antes quiero que esté terminada del todo y punto.

Victoria arrancó el coche y miró de reojo a los recogedores de basura, mexicanos como ella, pero con distinto destino en la primera democracia del mundo. Colocó sus gafas sobre el pelo para evitar que el viento cargado de *smog* la despeinara.

—Acabo de leer en una revista del laboratorio —inició Andrés la conversación— que Miami es la ciudad de Estados Unidos donde más veces te lavas el pelo al año. Un promedio de setecientas veintitrés veces.

—Yo lo hago dos veces y media al día. Y si voy a la playa, tres. Pero he descubierto que los domingos es maravilloso no lavarlo. El lunes te pones un pañuelo y si estás otro día más así, el cabello desarrolla una grasa que lo mantiene mucho mejor. Hay que rebelarse contra cierta cosmética, ¿no crees? Como hacen las europeas —miró a Andrés y de verdad lo encontraba irresistible,

146

con esa camisa medio abierta y medio sucia y ese aspecto desaliñado tras haber ofrecido sangre para un test de consumo de drogas.

Hubo silencio.

—Estoy muy molesta contigo —dijo, al fin, Victoria, con tono serio, mientras abandonaban el terrible centro de negocios de Miami que algunos llaman Brickell y que ella simplemente evitaba atravesar.

—Tú dirás. Y modera la velocidad, que el aire me está mareando. Nunca me gustaron los descapotables.

—Pues uno te vendría di-vi-no para tu profesión, *darling*. Por cierto, ¿es verdad que en México también quieren los derechos para tu programa de regresiones?

—Sí, pero nos da miedo que todos tus compatriotas quieran regresar al imperio azteca.

—Ya, ya. Cuando México despierte y ruja, en este país no quedará nada en pie.

—Por lo visto se le han adelantado los talibanes. ¿Por qué estás molesta conmigo?

—Porque Mónica me ha dicho que estuvisteis hablando de mí hace algún tiempo, que ella te sugirió que yo era lesbiana y que tú no hiciste nada para convencerla de lo contrario.

—No lo recuerdo, Vic, perdóname.

—Quiero recordarte que en alguna ocasión he sido más que tu arquitecta.

—No. Eres mi arquitecta porque me la chupaste muy bien antes de adquirir ese piso y si quieres que me baje del coche, pídemelo.

147

—No hace falta. Estoy acostumbrada a tu vulgaridad. Además, necesito hablar con alguien. Acaba de sucedernos algo terrible.

—¿Sucedernos?

—A mis amigas del colegio y a mí, claro, en México. Oh, bueno, es demasiado largo.

—Bien, tienes por delante todo el tráfico de la entrada a Miami Beach.

—Siempre te dije que un chico como tú tiene que vivir en Key Biscayne.

—*Please*, no soportaría vivir con todos esos españoles que crean empresas de música para dar a conocer a la nueva Jennifer López —argumentó Andrés.

—O, al menos, en el edificio donde se ha comprado el *penthouse* la Kournikova.

—Demasiado rosado. Mi casa en la treinta está bien y me gusta, Vicky. Cuidado a la derecha, hay dos policías de paisano. ¿Qué ha pasado en México?

—La traición más vil que ha sufrido la comunidad.

—Oh, no. Otra vez una crisis en la comunidad judía de D.F. —Andrés se llevó las manos a la cabeza como si fuera una maruja histérica—. No creo que pueda soportarlo, Vicky.

—No me hagas recordarte que es la comunidad judía más importante de Latinoamérica, y, bueno, del libre mercado, a lo mejor incluso de este mismo país. Sabes también que muchas de las televisiones están en su poder, *darling*.

Andrés guardó silencio. Miró el reloj —4:24 pm— y las ladillas seguían sin hacer acto de presencia. El semáforo frente al Country Club cambiaba de verde a rojo sin que ningún coche se moviera. De nuevo desvió su atención a los otros conductores. En una limusina leían el *Miami Herald* y aparecían las únicas dos fotografías de los terroristas de las Torres Gemelas en todo el largo recordatorio del primer año sin ellas. Un gesto atrevido de ese periódico en una América que siempre controla lo que quiere recordar y lo que no. Esos dos habrían sido unos buenos candidatos a su programa de regresiones. Vicky le pellizcó el brazo.

—Lo que te estoy contando es todo un escándalo en México y no quiero que te pongas a pensar en regresiones.

—Ese enfermero gay de Ohio se ha llevado más sangre de la que necesita para los análisis.

—La recuperarás pronto. Continúo. Todas mis amigas de la comunidad invitamos a esa fotógrafa, amiga de Raquel y de Helen, a que nos fotografiara en nuestros entornos. Quiero decir en nuestras casas, ya sabes, la de D.F., la de Puerto Vallarta o la de Yucatán: muchos se están haciendo casa allí, porque con lo de Chiapas está la tierra más barata. Y hasta la gran Elvira Ríos Ménguez le abrió la puerta a su súper-piso de la Olimpic Tower en Nueva York.

—¿Quién es esa fotógrafa?

—Una niña de las nuestras, Andrés. Se llama Daniela Rossell. Fue compañera en el Hebraica México de mis primas, las Hurtado Neri. Claro que con talento y con suerte. Pues bien, cuando la fotógrafa se presentó con la idea del proyecto —nosotras en nuestras casas y mansiones—, el MOMA ya le había comprado una fotografía y la galería Marlborough la quería para su colección.

—No sabía que ahora vendían fotografías en la Marlborough...

—Bueno, una de esas gordas. Elvira nos dijo a todas que era divina, que era hija de una de las sobrinas del rabino y que la idea era bellísima y permitiría dar otra imagen de México. Tú sabes, más sofisticada, más D.F. Basta ya de estar asociadas a las mafias y a esos recogedores de basura y a esas telenovelas horribles que emite tu cadena.

—No es mi cadena, Vicky. Pero, cuenta, cuenta, estoy fascinado.

—A Lucía Díaz Meija la fotografió justo al mes de su estética y con todos esos animales disecados que su marido colecciona y que ella detesta. Y con el vestido de cebra. Y a las Hurtado Fiz las puso, madre y dos hijas, delante de ese horrible cuadro de Macarron que se hicieron antes de que Tita Thyssen visitara su casa en Vallarta. En fin, que salen ridiculizadas, como hijas de mafiosos, de cazadores sin escrúpulos o taxidermistas con cuernos. Un horror y un escándalo. Dicen que la pobre Elvira intentó lanzarse desde una de sus terrazas del Olimpic Tower cuando todas la señalaron como culpable de introducir a esa niña en nuestras vidas.

—Oh, Victoria, pero tú no estás implicada.

—Salpicada, Andrés. Porque la niña, cuando vio lo que se le venía encima, llamó para pedirme alojamiento aquí en Miami y, claro, yo pensé que a lo mejor podía fotografiarme gratis, si le prestaba la casa. Y la invité.

—Victoria, no volverán a invitarte a ningún *bar mitzvah*.

150

—Es peor. ¡Nunca entenderé este tráfico para entrar en Miami Beach! ¿Es que no pagamos suficientes *fucking taxes* para que hagan una entrada más grande? Resulta que la chica ha utilizado mi casa como base de operaciones para llevar la exposición a España, mientras yo viajaba por media Norteamérica buscándote más baratos los rieles de tus cajones.

—Oh, son maravillosos y es verdad que no suenan.

—Pues los fabrican —continuó ella— en Canadá, como habías dicho. Seguramente vieron *Twin Peaks* y cogieron la idea. A lo que iba. Cuando regreso, la chica me ha dejado una nota y cien dólares, que ella —calculó— efectuó en llamadas. En realidad fueron ciento cincuenta y se llevó mis pastillas de baño españolas: me tienes que traer más. Pues bien, a los dos segundos empieza a sonar el teléfono. Y es Nieves Fontana Brazzi, desde el banco de su marido en Fort Lunderdale, diciéndome que todo el mundo en D.F. sabe que la he acogido para ayudarla a llevar esas fotografías a Madrid.

Andrés miró cómo el cruce con Collins Avenue estaba realmente próximo.

—Sube por Collins, *please*.

—Pero... íbamos a tu farmacia de la cinco y Washington. Habría podido tomar Collins más arriba y evitar este tráfico.

—Piensa siempre que lo que sucede es lo mejor. Vamos al Fontainebleau —le dijo con su radiante sonrisa. Pobre Vicky, por más que América la hubiera transformado en mujer trabajadora, seguía siendo la niña rica mexicana incapaz de torcer su destino.

151

—¿Al Fontainebleau? Qué extraña ocurrencia. La primera vez que vine a Miami, imagina, en al año 78, fui a ese hotel. Mis padres alquilaron la suite Versailles y yo en esa época era, ¿cómo se dice?, reaccionaria.

—No, Vicky, quieres decir revolucionaria.

—¿Pero no era reaccionaria si antagonizaba con todo lo que mis padres representaban? Da igual. Imagíname. Acababa de descubrir el punk en Londres y era la más punk de todas mis amigas en D.F. y hospedada aquí con mis padres. Había, si mal no recuerdo, un pequeño bar escondido detrás de uno de estos edificios.

A Andrés se le iluminó la cara. Era una de las razones por las que siempre recurría a Vicky: conocía todo sobre Miami. De ella se decía que podía tener cincuenta y nueve años, aunque aparentaba cuarenta y dos, como ahora. Algunos decían, incluso, que salía en *The Tender Trap*, la película de Sinatra ambientada en Miami, y que desde entonces su vida era similar a la de la solterona que se enamora de Sinatra y le muestra su diminuto y coqueto apartamento y a la que él desprecia porque aún cree que puede encontrar una mujer millonaria; una millonaria que se deje seducir por su encanto tarambana. Por eso quería tanto a Victoria, porque, fiel a su condición de solterona cada vez más joven, Vicky era la perfecta compañera de aventuras.

—¿Recuerdas dónde quedaba ese bar?

—Aquí, dentro de este edificio color coral.

—He venido un par de veces, pero la última vez que lo busqué ya no estaba aquí —advirtió Andrés.

—Oh, *darling*. Sucede siempre en Miami. Las olas y el viento caliente del océano mueven las cosas de sitio y crees que te has vuelto loco. Miami es un lugar mágico, *in more ways than one*. Es un Macondo contemporáneo.

—Me impresionó tanto lo que vi dentro que no me he atrevido a contaros nada. Ni a ti ni a Mónica.

Victoria lo miró con inquietud.

Andrés respiró hondo al ver los hipocampos. Saber que de nuevo traspasaría el umbral le hizo recobrar la confianza. Ahora sólo hacía falta que Victoria lo entendiera igual que él.

—Es increíble cómo en Estados Unidos todo aparenta estar limpio, pero en realidad está inmundo. Herencia de los ingleses, desde luego. Pero con tantos latinos viviendo aquí, es como si empeoráramos en la riqueza, ¿no encuentras? —dijo Vicky—. Debe de ser el precio del subdesarrollo: vienes al Imperio y te conviertes en puerco... ¿No quedaba en esta mezzaninna? ¡Qué monos los *Griffins!*, ¿no encuentras? Dicen que espantan los malos pensamientos y protegen a los humanos de los peligros del mar. Eso lo aprendí cuando llegué a esta ciudad. ¿No te has fijado que hay caballitos de mar *everywhere*?

Andrés asintió. Le tranquilizaba que Vicky se negara a detener su tren de pensamiento. A medida que la aceptaba más como judía, como mexicana y como nueva rica en el país de los nuevos ricos, con sus trocitos de inglés sofisticado intercalados aquí y allá —sus «¿no encuentras?» o sus «por doquier»—, más la necesitaba. Podrían casarse, aunque a los padres les daría un síncope si en-

153

cima la obligaban a hacerlo por el rito católico. Llamó a la puerta que antes Catalina había abierto para él.

Tardaron en responder.

—¿Imaginas que nos diera la bienvenida una reliquia de los ochenta?

—¿Quién te gustaría? —jugueteó Andrés.

—Verónica Castro en *Los ricos también lloran* —Victoria atusó su media melena y estiró la palma de la mano como si estuviera trazando un desierto completo—. Naaaadieeee como ella, *darling*.

En su lugar apareció un hombre calvo de impresionantes ojeras. Vicky le sonrió abiertamente al tiempo que entrecerró los ojos para escrutarlo mejor. Andrés sintió miedo. De pronto sí era verdad que el sitio existía, que había un cambio en el tiempo y que algo terrible podría estar a punto de sucederle.

—¿*Are you Catalina´s friend?* —preguntó el calvo en un inglés de pirata en el Caribe. Victoria se giró hacia Andrés y lo vio aún más guapo que en el descapotable.

—¿Tienes una novia que se llama Catalina? ¡Qué gracia! Ése era el nombre de los bañadores de mi juventud. Catalina. Los pusieron de moda todas esas películas de Elvis en Acapulco.

Entraron en ese *hall* de sofás amplios y paredes que gimoteaban rojos. Victoria iba cogida del brazo de Andrés y avanzaba con esa mezcla de pasito y saltito obligada por sus sandalias de tacón altísimo. Andrés buscaba a Catalina. Victoria, en cambio, miraba a todos lados.

—Mira, ése era el rólex que llevaba cuando me matriculé en la Universidad de México. Imagina, fue en el

154

año 80 y todo el mundo lo miraba en la clase de Formación Social. Oh, vaya cardados, hace años que no los encontraba tan fidedignos. Si hasta parecen Lucía Méndez en *La hija de nadie*.

—¿De qué año es esa telenovela? —preguntó Andrés, rápido y detectivesco.

—No sé si del 84 o del 85. Ambos fueron grandes años para todos, ¿no encuentras? Bueno, en México acababa de estallar la crisis de la deuda exterior, aunque aquí estaban en plena era Reagan y lo único desagradable eran los *homeless*. Pero cada miércoles tenías *Dinastía*. Mira, mira, esos de allí son los Thompson Twins.

En efecto, el trío que seguramente más había influido en Mecano recibía los parabienes de una docena de personas, vestidas igual que ellos, con las faldas asimétricas, el pelo desordenado y enrojecido y, para colmo, de fondo su éxito *Hold me now. Hold me now. Warm my heart. Stay with me*. Victoria, encantada, empezó a bailar la canción con sus manos abiertas; meciéndolas de un lado a otro como el limpiaparabrisas de un coche modelo años cincuenta.

—Es divino este sitio. Me recuerda a uno que visitábamos en Corchevel, cuando esquiaba allí con mis padres. Sólo que más rústico, ¿comprendes? Con todas esas maderas y la nieve fuera.

—Eran los Alpes franceses, Victoria —dijo Andrés.

—Ya. Eso es lo que nunca entenderás de Estados Unidos, Andrés. Que tenemos la licencia, vía Hollywood o vía sociedad de consumo, de apoderarnos de todo y hacer un *look* Corchevel aquí, en pleno Miami. Mira esos sofás, aunque tengan el estilo *Dinastía*, todos los demás son completamente estación de esquí —de pronto se detuvo, momentáneamente helada—. Ésa es Lupita Gómez Pérez. ¡No lo puedo creer! Hace años que dejamos de vernos —lanzó un hondo suspiro—. Y hace años que lamento que nos peleáramos.

—Acércate entonces —sugirió Andrés.

Victoria avanzó dubitativa. Se giró para ver a Andrés y, de pronto, sonrió con una naturalidad y una felicidad que Andrés jamás le había visto. Se aproximó hacia la supuesta amiga y, en efecto, Lupita reaccionó maravillada. Andrés no quiso escuchar la conversación, pero sí quiso asegurarse de que Lupita parecía más joven que Victoria. Y en un principio, Lupita no tendría más de veintitantos, mientras que Victoria se veía más cansada y menos luminosa. De todos modos, apenas intercambiaron abrazos, ambas se igualaron en edad.

Andrés decidió mirarse en un espejo. ¡Vaya día de espejos: primero en la clínica con ese enfermero vampiro y ahora de nuevo en la disco coral! Curioso también: no sabía el nombre del local. Encontró un espejo, en el rellano de las escaleras que conducían a los servicios. Se detuvo. Era el momento de comprobar si toda esa fiesta se reflejaba. Bajó un escalón y dejó de sentir el tema de los Thompson Twins. Era el turno, ahora, de Bananarama y su «Robert de Niro´s waiting», con esa seguidilla de panderetas cortas y rápida atmósfera de inocencia medio perdida. *Robert de Niro espera, hablando italiano...* Y Andrés, a punto de enfrentarse a ese espejo, se encontró cimbreando sus caderas de treinta y seis años como si tuviera veinticuatro y agitando los ojos de un

156

lado a otro como si imitara los gestos de los amigos gays de Melisa, burla que a ella tanto divertía. *Hablando italiano. Tuve un sueño de adolescente. Entro en un parque y la gente me sigue. Me siento a ver una película. No entiendo nada y veo una cara. Robert de Niro espera, hablando italiano.* Al volver a escuchar la canción después de tantos años, Andrés comprendía ahora el sincretismo de la letra: tres británicas de comérselas hablando de un ídolo mediterráneo que no era tal. «Mentiras divinas, confusión de verdades y una música que me hace bailar feliz y que me lleva de nuevo hacia ti, Melisa.» Y el espejo frente a él reflejando a sus espaldas sólo un vacío rojo e imponente.

—Vampiros —murmuró Andrés sin inmutarse.

—Como en el *Baile de los vampiros* —respondió Catalina, esta vez niña total, sujetando las puntas de su pelo rubio con unas manitas acostumbradas a toquetear golosinas o caramelos, y con un vestido de ante color arena que se deslizaba por sus curvas de muchachita robusta y que le dejaba un hombro desnudo—. ¿Recuerdas esa escena de la película donde Polansky y la pobre Sharon Tate se acercan al espejo y ven que la fiesta de la que huyen en realidad no existe?

Mirando el atuendo de la chica, Andrés recordó una foto de Charlene Tilton, la hija problemática y rebelde de J. R. en *Dallas*. Catalina le sonrió con la misma seducción vulgar, inocente y casi ninfómana de la actriz americana. Observó, además, que su cintura, tirando a gordita, estaba encorsetada por un cinturón ancho, tipo banda elástica, con una gran hebilla.

—¿Quieres seguirme? —preguntó Catalina extendiendo su mano.

—¿No le pasará nada a Victoria, verdad?

—Se ha encontrado con amigos que deseaba ver.

Andrés tomó la mano de Catalina. Volvió a escuchar a Thompson Twins.

—Esos pesados —añadió la chica, sonriéndole y apretando sus dedos—. Cada vez que vienen exigen que les pongamos ese *hit*. Bananarama, en cambio, nunca nos han visitado y las prefiero mucho más.

—Seguramente necesitan recordar menos los ochenta —dijo Andrés, hablándole con la misma franqueza que al doctor Cortezo.

—No, no, Andrés —cortó Catalina guiándolo hacia el final de la escalera—. Todo el mundo necesita recordar los ochenta.

Se detuvieron delante de una cortina de terciopelo verde. Lentamente, Catalina la descorrió y dio paso a un hermoso vitral ante un espacio oscuro, pero iluminado desde la esquina izquierda por una luz azulada. Allí estaban Lucille Ball y Carol Burnett, las dos grandes cómicas americanas que le abrieron la mente al humor gringo cuando aterrizó en George School. Lucille, más payasa, movía sus ojos de pelirroja eterna en ese gesto de bufón surrealista tan propio de ella. Mientras, la Burnett agitaba un cubo y una fregona igual que en su show televisivo de los setenta. Otra luz, desde la derecha, iluminaba a un trío que también la televisión fue capaz de preservar para nuevos milenios: Judy Garland, Dean Martin y el gran Sinatra avanzaban en ese espacio blanco y negro, moviéndose al compás de los gestos exagerados y crispados de la madre de Liza Minnelli.

Desde el centro del escenario, protegida por ese cristal, entre la verdad y la mentira, se veía a Grace Kelly con el traje vaporoso y tornasol con el que cruzó los pasillos del hotel de París en *Cómo atrapar a un ladrón*. Andrés recordó que la muerte de Grace afectó profundamente a Melisa, aunque para él ya había muerto desde que dejara Hollywood e intentara reconstruir su vida en la aparatosa escenografía de Mónaco. Ante él y al otro lado del vitral, Grace era como la sacerdotisa de esta peculiar celebración de luz, iconos y misterios. De pronto todo se apagó y los mismos hipocampos, que velaban el límite de lo real y lo surreal en esta discoteca, aparecieron al fondo arrastrando una concha de escayola excesivamente teatral. A medida que se abría, la concha soltaba burbujitas de musical años treinta. Andrés rió de su matemática mental para recordar imágenes cinematográficas y décadas. Abierta completamente, escondía dentro nada más y nada menos que a Elvis Presley totalmente de blanco junto a Ann Margret y Ursula Andress con el bikini de *Doctor No*. Si el doctor Cortezo estuviera aquí, no le haría exámenes buscando cocaína sino hongos alucinógenos del imperio inca. La música de Presley apenas se oía detrás del pesado cristal donde se movían, además, barracudas y tiburones de un azul que ni siquiera soñaban los balcones de Collins Avenue. Elvis y todo su séquito se desplazaron a un lado del escenario. En su lugar aparecieron los astronautas del *Apolo X*, la nave que conquistó la Luna. Iban subidos en el mismo Cadillac negro con el que recorrieron las avenidas de Nueva York y estaban rodeados de banderas americanas mucho más grandes y con mejores colores que las que se veían todos los días en las avenidas de Miami tras la paranoia «post 11 de septiembre».

Detrás, también vestidos de blanco Las Vegas pero con sombrero de vaquero interestalar, hicieron acto de presencia Duran Duran. Comenzó a sonar «Save a prayer», la canción que Andrés oía cada noche en su primitivo *walkman*. Un brazo rodeó su cintura. Era Victoria: gin tonic en ristre y una expresión entre radiante felicidad y serena estupefacción. Junto a ella, su amiga mexicana reencontrada años después en ese sitio detenido en el año 85. Detrás, el resto de los convidados a ese baile de vampiros. Todos observaban maravillados el espectáculo tras la barrera de vidrio. Duran Duran saludaba a un público que aplaudía mientras los compases de *Río* obligaban de nuevo a la banda a repetir esos gestos cimbreantes de mil sintetizadores sobre el aire de la sala. En plena euforia, la gente seguía moviendo las manos, ya no como limpiaparabrisas, sino como si estuvieran guiando el aterrizaje de un inmenso platillo volante.

A su vez, el escenario se despojaba de falsos telones y dejaba desnuda su naturaleza. Y su naturaleza no era otra que el fondo del océano, donde se erigían como escombros hermosos una réplica de la estatua de la libertad —sólo la cabeza y medio torso—, la cúpula de la Librería del Congreso, el Golden Gate, las siluetas eléctricas de los edificios *decó* de Ocean Drive, el león de la Metro, Jean Harlow vestida de blanco delante de su cama redonda o la M de MacDonalds al lado de la momia congelada de Walt Disney. Era un decorado extraordinario, envuelto de algas y peces. La América culta hundida en el Atlántico de Miami, su capital más libertina. Por si fuera poco, los hermanos Kennedy, Bobby y John, bailaban en torno a una Marilyn en pantalones cortos y top y con la piel muy blanca. Cerca de ellos, Jackie bajaba y subía una escalera hacia la nada. Andrés cerró los ojos. No quería ver más, sólo faltaba que aparecieran Jane Fonda y su hermano Peter: ella de Barbarella o quemando banderas en Hanoi y él recorriendo esta nación-continente en su Harley. No podía ver más. No quería ver más. Había recibido el mensaje: en una discoteca detenida en el año 85, América se celebraba a sí misma.

De entre todos estos personajes, surgieron tres jovencitas con mallas de rayas azul marino. Parecían equilibristas en un circo europeo de los años veinte. Llevaban tres aros que pasaban por encima de sus cabezas, construyendo geometrías sensuales de difícil equilibrio. Andrés sintió una palabra taladrándole el cerebro: «Equilibrio». «No pierdas el equilibrio. Juega con el equilibrio.» Mientras las tres niñas lanzaban los aros al aire, daban paso a una cuarta chica que nadaba dentro de una gran copa de champán. Era Melisa.

Ella subía, ejecutaba una voltereta, volvía a sumergirse y, con el impulso de sus brazos, elevaba las piernas y las abría como tijeras.

—¡Melisa! —gritó Andrés. Todos los presentes se giraron para verlo—. ¡Estás nadando!

161

Se separó de Victoria y se aproximó aún más al cristal. Duran Duran entonó de nuevo el estribillo de *Río*. *Su nombre es Río y baila en la arena.* Los invitados —los vampiros— hicieron señas a Catalina para que Andrés no se acercara tanto al cristal. Estaban asustados. Temían que al rozarlo una catástrofe rompiera esta hermosa irrealidad. Catalina consintió que Andrés tocara el vitral, mientras Melisa volvía a hundirse en la copa para tomar impulso, ascender hacia su borde y desde allí mirarle y agitar los dedos en un saludo de reina de la natación sincronizada.

La cortina verde inició su lenta caída. Mientras, Duran Duran retrocedía al *backstage* del fondo del océano.

XI

13 DE OCTUBRE DE 2002

Rodrigo ordenó al taxi que se detuviera al principio de la calle Manuela Malasaña.

—Pero si me ha dicho el número diez y estamos todavía en el treinta y nueve.

—No importa. Está bien aquí. Por favor, hágame una factura.

—Todos los famosos hacéis lo que podéis para evadir los impuestos.

Rodrigo elevó su mirada para observar al taxista en el retrovisor.

—¿Qué quiere decir?

—Usted es el esposo de la de las regresiones. Vaya, con ese programita. Mi mujer me lo impone cada noche. Y tenemos que ver a todos esos que creen ser antepasados del Cid.

—Por favor, la nota.

—¿Y cómo es que ella no lo viste mejor? Con la de pasta que debe de estar ganando, y usted con ese aspecto de enfermo.

Rodrigo tomó la nota y observó cómo temblaban sus propias manos envueltas en los guantes. Furioso consigo mismo, estaba obligado a aceptar la odiosa indiscreción del conductor. No había nada normal en su aspecto: dos jerséis negros, una chaqueta de cuero negra que ya le resbalaba en los hombros, gafas negras y esa ridícula gorra de béisbol que le había comprado a Jimena cuando ésta tenía dos años.

Un resfriado. Era como un resfriado que le hacía perder el equilibrio, que le obligaba a quedarse quieto en su despacho, noches enteras sin dormir, a veces contando cada escalofrío como si fueran las rayas del suelo en una cárcel o las pintadas en los vagones del metro de Manhattan. Fue en el 84. Escuchaba canciones de Duran Duran cuando se trasladó a Nueva York para asistir a unas conferencias sobre arquitectura. Se imaginaba a sí mismo convertido en un brillante arquitecto. No fue así. Nunca se acercó al talento de su padre y, además, se asustó precisamente de la epidemia que ahora estaba matándole, casi veinte años después.

¿Cómo pudo pasar? Odiaba esa pregunta, sobre todo porque no podía evitar escucharla ahora constantemente en la voz de Trinidad, como si la formulara en medio de un debate o un telediario. Imaginaba los titulares: «El esposo de Trinidad Velasco, contagiado de la segunda epidemia de sida». ¿Segunda? ¿De dónde había salido lo de segunda? La enfermedad jamás se había ido ni jamás había desaparecido. La enfermedad siempre ha estado aquí, acechando, luchando con la medicación que los países ricos venden a gente que como él puede pagarla. Hoy, de nuevo, se había negado a tomar los fármacos y sentía ese frío de otoño, que siempre fue un frío de otoño confuso, y que ahora le cruzaba los tabiques nasales hasta llenarle de gérmenes los pulmones. La cabeza le funcionaba rápidamente. Más que pensamientos, eran frases que necesitaba soltar a la nada o, como le criticaba Trinidad, durante las noches en vela. Pensaba muy rápido. ¿No acababa de decir algo sobre la segunda epidemia? Sí, lo había leído en una revista médica del padre de Trinidad. Al parecer, desde el año noventa y dos, la comunidad homosexual se había concienciado tan ampliamente de su responsabilidad en la propagación de la epidemia que el nivel de la misma descendió. Al mismo tiempo, la eficacia de los cócteles de medicamentos dio paso a una generación superviviente de seropositivos. Sin embargo, el descenso reciente en el número de afectados ha vuelto a relajar las costumbres en el colectivo homosexual, y de nuevo, como una segunda epidemia, se han disparado los casos de infección. Oh, Dios, el cerebro volvía a girar hacia otra dirección. Rodrigo recordó a Mario, amigo y compañero de estudios, allí en su cama, rodeado de cosas bellas, candelabros, libros antiguos, mesas de cuero y lanzas africanas y bustos romanos. Recordó su cuerpo menguante disfrazado con un corrosivo e hiriente traje de vaca. Sí, de vaca. Y era corrosivo porque deseaba que los últimos que lo vieran lo hicieran así. Dilapidados su piel y sus huesos tan frágiles debajo de un disfraz: el animal más robusto y sano. Mario, no tuvo tiempo de despedirse. Cuando Rodrigo llegó al piso, junto a la Innombrable, estaba muerto. Sus padres no les dejaron entrar.

Ahora estaba en Malasaña. Ahora debía continuar hasta el número diez y esperar lo imposible, que ella, la Innombrable, apareciera.

Seis de la tarde y «la luz es rosada en Madrid». Lo había dicho en esa conferencia en el colegio de Jimena. Hace tres meses que su casa es un infierno. Tras decir a su mujer que tiene la enfermedad, ésta estuvo llorando horas en el salón de la casa. Ahora parece que todo está más tranquilo. Falsa calma.

La primera vez que cruzó las fronteras de este barrio tenía veinte años y no había mejor sitio para sentir Madrid y su ya decadente «movida». Madrid, entonces, era permeable. Y esa palabra, permeable, se convirtió en su soporte favorito. Una vez se acercaron a Almodóvar y le dijeron que era *total*, y desde entonces, los tres, Mario, la Innombrable y él utilizaban esa palabra como un código secreto. Denostaban a Mecano porque lo consideraban vendido a lo comercial. Igual que a Bosé. Pero ahora, cuando su cerebro no dejaba de ir de arriba abajo, rodeado de números y sudores, todo era distinto. Mecano fue una lírica que llenó horas muertas y Bosé fue un proceso, un deseo de vestirse como él, de entrar y salir de los sitios como lo hacía él, más alto que nadie y con las piernas impulsando hacia delante su cuerpazo de *sex symbol*. Vio un número de portal a su lado, el veintiuno. Recordó que el veintiuno fue el número que le regaló Jimena para su cumpleaños diciéndole que su simbología representaba el siglo que vería morir y la bienvenida al tiempo donde cumpliría todas sus metas de adulto.

Cada vez estaba más cerca del diez y los escalofríos regresaban. De fondo, desde alguna ventana, la voz lejana de Ana Torroja cantando «Maquillaje». Pasaba a la altura del diecisiete y los escalofríos se reían de él, de la misma manera que su cerebro le ordenaba saltar, saltar a otro tema, a otro recuerdo, a otra canción de Duran Duran, la más extraña. «Luna nueva el lunes» y la voz de Simon LeBon que, de tanto jugar a parecerse y a distanciarse de la de Bowie, hacía que las letras fueran incomprensibles. Decía, ¿qué decía? *Esperando la luna nueva en lunes. Cuando el fuego cruza la luz, me quedo todo el día con un satélite solitario.* «Jimena, Jimena. No me veas sufrir, sólo escúchame. Sí, hija mía, hubo un momento en que crucé la luz y atravesé todos los límites. Y el origen está en este barrio adonde he vuelto. El origen está en la oscuridad de esta calle junto a ella, la Innombrable.»

Daniel se sentó en un banco delante de la terminal de Iberia en el aeropuerto de Ezeiza. Abrió el ordenador que Bárbara le había dejado. Josefa, la portera, había mentido: no era cierto que lo llevara al mercado negro, porque sin duda lo habría vendido. Algún milagro, la mano caritativa de un dios benévolo impidió a esa arpía separarle de la última alegría de Bárbara.

Era un portátil machacado que su amiga había recibido del periódico, cuando los periódicos podían permitirse ese tipo de gestos con sus columnistas estelares. *Bárbara Noche* era el nombre de la columna; un juego con el adjetivo *bárbaro* que los porteños aplican a todo, desde chocolates a chismes sobre Zulemita y su hermano, que luego muriera atrapado en un helicóptero sin saberse si fue accidente u homicidio. De hecho, Bárbara escribió, precisamente en ese ordenador, *Última noche Bárbara con Carlitos*, que era como llamaban al hijo del presidente. En la columna relató cómo Sergio, Daniel y ella se encontraron con Zulemita y Carlitos en una pizzería de Las Cañitas adonde también iba Guillermo Coppola, el *manager* más que desacreditado de Maradona. Bárbara había anotado todo lo que pidió el hijo presidencial: dos helados, uno de vainilla y otro de turrón, pizza cuatro estaciones, una copa de vino rojo y luego dos botellas de agua con gas. «Qué lío si luego pretendía subir en el helicóptero. Seguro que en súper menemlandia tienen todo tipo de pastillas antiacidez y flatulencias.» El artículo apareció el sábado después del accidente mortal y el periódico, que no revisó su contenido, despidió a Bárbara fulminantemente. Fue difícil hallar otro diario que quisiera recogerla como columnista, a pesar de ser considerada «la lengua incisiva y necesaria de la noche porteña». Muchas madrugadas, Daniel la encontraba agotada delante de este portátil de aspecto soviético por lo pesado. Mascullaba maldiciones, lloraba y bebía vodka, intentando escribir una novela que nunca arrancaba. «Los avatares de un cuadro en una casa rica que vio pasar por delante los últimos setenta años de historia argentina. Eso es lo que deseo escribir.» Daniel la animaba, pero el vodka podía más. Y luego la propia noche, la bárbara noche, que la llevaba de un sitio a otro, donde primero la recibían como «la chica que escribe cosas divinas en el *Clarín*» y luego dejaban de regalarle copas, «porque es una pena que no sigas con lo del *Clarín*, no me perdía ninguna». Hasta que Sergio y él decidieron contratarla como *Bárbara Dorado*: una mezcla de go-go, relaciones públicas, amiga para todo y conveniente camella repleta de las pastillas más divinas.

Daniel abrió el archivo de Word y salieron todas las columnas del *Clarín*, el único párrafo de su novela *Volverás a verme* y el listado de e-mails. Un contingente de pasajeros para el vuelo de Buenos Aires-Helsinki desvió la atención de Daniel. Eran altos y morenos, como él, sólo que diez años más jóvenes y vestidos de otoño europeo, mientras que él seguía embutido en su camisa de devaluación y bajo un sol salvaje que anticipaba el verano. «Helsinki, tarados, la ciudad más top de *Wallpaper*. Ahí van riendo, argentinos traidores. Vendieron hasta la última silla del comedor, incluso los trajes de sus madres a precio de mercado negro. Y escapan ahora con los asquerosos dólares bien apretaditos en el bolsillo derecho.» Sacudió la cabeza. No debía pensar así, era agotador. Que se vayan, que emigren para ser actores, ingenieros, psicólogos o arquitectos de esa Europa que los mira aterrados: su gripe administrativa se puede volver quebranto internacional.

Abrió el archivo de e-mails con la intención de leerlos allí, en Ezeiza, en la frontera de su país y el auténtico más allá. Finalmente no lo hizo. En cambio sí comenzó a escribir un correo a Bárbara; un correo que jamás llegaría, porque Daniel carecía de una conexión desde la que navegar. No tenía dinero para abonarse.

«¿Te acordás de *París, Texas*, Bárbara? La volví a ver anoche, en un cineclub cerca de la tienda de espejos. Ahora vivo allí, aunque está llena de cristales rotos y mendigos que también pernoctan. Ver la película me hizo pensar en nosotros tres, pero sobre todo en vos y en mí; vos y yo en la filmoteca de alguna ciudad europea donde siempre quisimos ir y donde siempre quisimos vivir una tarde sin nada que hacer salvo volver a ver a Nastassja. Es una película hermosa, secretamente hermosa, como casi todas las cosas que nos gustaron. El Oeste americano y sus paisajes de desierto lunar. El objetivo de Wenders perfectamente enfocado como si fuera un fotógrafo de lo abismalmente imposible. ¿Recordás el argumento? Un hombre roto —como yo ahora, sentado en Ezeiza escribiendo un e-mail cuyo destinatario no existe ni está a mi alcance— busca a la mujer que verdaderamente amó, y a la que por celos, por alcohol, por confusión o por miedo no supo querer y perdió. Es como vos y yo, sólo que vos nunca me quisiste. Fue siempre algo mío; algo que tampoco pude explicar y que ahora

170

da igual: un correo puede ser extenso, pero nunca po-
drá contar toda la verdad. La película habla del desierto; el desierto en el que vivimos; un espacio árido
que no sabemos regar y al que sólo ofrecemos simula-
cros de amor: medias verdades que se vuelven calave-
ras de animales muertos bajo la arena. Pero también es
una visión de Estados Unidos; la visión de un país gigantesco y próspero, cargado de oportunidades y de
espacio. Como nuestra pampa. Pero un país de alma
seca y árida y repleta de cuerpos abandonados y de
personas que creyeron ver en el amor la verdad absoluta y que acabaron perdidos en el Gran Canyon. Así es
la película. Siempre una autopista. Un espacio inmenso. Gente que deambula. Un loco que grita aluci-
nado el fin del mundo. Y el fin del mundo llega, y uno
sigue aquí, viendo cómo el desierto se hace fuego durante el día, y hielo y vacío durante la noche. América
está sola. El paraíso que deseamos conquistar y al que
queremos regresar triunfadores, está lleno de espacios
perdidos y de pequeños huecos negros repartidos entre
camiones, trenes solitarios y alacranes despiertos.»

Rodrigo cruza la calle hacia los pares. Al llegar a la
acera se le dobla una pierna y cae sobre una caja. Consigue unir sus manos temblorosas y elevar la mirada. Nú-

mero doce. Sólo falta un portal. Vuelve a perderse en los recuerdos. De ese portal salieron en el año 85 para intentar colarse en un desfile de Montesinos, el diseñador valenciano, porque habían visto a Bibi Andersen el día de antes. Cuando se encontraron con ella aunaron fuerzas la Innombrable, unos amigos y él para hablarle y decirle lo guapa, lo misteriosa y lo sofisticada que estaba. Bibi, encantadora, rubia, alta, de amplios músculos, les habló de los nervios por el desfile de Francis: «Quiere ponernos a todas unas faldas asimétricas blancas y unos botines de goma, vamos, de deporte, pero forrados en encaje blanco. Yo me niego a salir así». Y los amigos, Natalia y él —por fin asumía su nombre— entendieron como algo vital que bajo ningún concepto la actriz tuviera que desfilar con unos zapatos que la avergonzaran.

Seguía tiritando delante del portal número doce. El dolor era intenso. La pierna inmóvil y la cabeza moviéndose de un sitio a otro. Estaba en esa calle, excitado y escupiendo Kouros, el perfume de Saint-Laurent que tanto vistió en el 85: un olor infinitamente gay y muy de arquitecto que quiere ser un hombre distinto en cada lugar. Recordaba cuando acompañaba a Natalia en aquella época, vestida con falda de charol negro, corsé de piel sintética, también negro, pelo cardado y zapatos y guantes dorados. Un dorado hiriente que se transformó en queja a medida que el dolor de la pierna le recordaba una herida más grave: «Aquí me dejas ahora. Has decidido ser otro, Rodrigo. Un hombre serio, con oficina, con secretaria y con mujercita. Aquí

172

me dejas. No vuelvas nunca. Aunque me encuentres yo haré como que nunca te he visto».

Andrés miró el reloj de su mesilla de noche. Era transparente y marcaba las horas sobre una exquisita pantalla cuadrada. Las cinco menos cuarto de la tarde. No le dolía la cabeza, toda la habitación olía bien. A algo limpio. Desde el baño, con la ventana abierta, se escuchaba el océano y el ruido de varios niños jugando en las piscinas. Un trozo de luz, como de anunciación, caía sobre las baldosas oscuras. Parpadeó y recordó a Melisa nadando en la copa de champán, como Nastassja Kinski en la película de Coppola, *Corazonada*. Y no pudo evitar recordarse a sí mismo viendo *París, Texas* en un cine de Nueva York. Melisa a su lado y de fondo la melodía de Ry Cooder a través de ese infinito desierto que Wenders dibuja como Estados Unidos. ¡Y vaya si era cierto! Se podía vivir en Nueva York, en Boston o en Miami, pero siempre existía la posibilidad de salirse del eje de las ciudades y enfilar hacia una autopista, por encima de ríos u océanos, y allí encontrar esa soledad tan americana, esa inmensidad sentimental: la aridez erosionada más allá de lo posible. Así quiso terminar cuando Melisa murió ahogada en uno de los giros de su rutina de natación sincronizada, víctima de un poderoso derrame que sólo le permitió levantar una mano y una pierna antes de desvanecerse bajo el cloro.

Hacía un mes que la había visto —de eso estaba seguro— y hoy se sentía increíblemente bien, porque se sabía perdonado. La vio en aquel lugar mágico de Collins Avenue, con Catalina y con Victoria, que, aun sabiéndose encerradas en una discoteca del 85, le hicieron sentirse bien.

Llamaban al timbre de la entrada. Al acercarse oyó a Victoria soltar uno de sus «¡Mónica, *nice to see you!*» completamente afectado. Ambas venían a visitarlo y casualmente coincidieron en la puerta. No podían verse la una a la otra, pero él ejercía de buen hilo conductor. Abrió descalzo y con una camisa de smoking fuera del vaquero. Las saludó y los tres atravesaron el *hall* enteramente blanco que Andrés imaginaba como un pasillo hacia otra vida; otra vida que siempre desembocaba en su salón.

—Mónica está preocupada con lo que nos pasó hace un mes.

—Más que preocupada, Victoria. Pero sólo quiero saber, y tienes que ser sincero conmigo, Andrés, si has vuelto a tomar coca.

—¡No tiene naaaaddaaa que veeeer con la coca, *darling!* —dijo Victoria—, sino con algo todavía más y más excitante. Lo he estado revisando en infinidad de libros masónicos y hablan de puertas que hay en nuestro alrededor y que pueden conducirte a un espacio determinado en el tiempo.

—Mónica, ¿quieres un poco de *strawberry cheese cake?* Está hecho según una receta que le encantaba a mis padres cuando iban a Tampa —preguntó, tranquilo, Andrés.

—No, gracias. Sólo quiero hablar tranquilamente contigo —continuó Mónica—, y que le digas a la arquitecta de las puertas masonas que nos deje a solas.

Victoria se acercó a un jarrón blanco para colocar unas rojísimas rosas.

—Hemos estado juntos en una discoteca que te transporta al año 85 —aclaró Andrés con la seriedad con la que asumía cualquier comité de televisión del mundo.

—¡Te sorprenderían lo fidedignos que eran los rólex que llevaban algunas personas! —afirmó Victoria.

—Eres una petarda, tía, y no te soporto —gruñó Mónica—. Esto parece aquella leyenda de que en Alcoy, Alicante, vivían en el mismo piso Kennedy, su hermano Bob y la Monroe.

«Pues los vimos bailando», estuvo a punto de decir Andrés. Sin embargo, dijo:

—Mónica, es cierto. Y el hecho de que Victoria también lo haya visto tiene que convencerte.

—¿Pero qué ganas yendo a un sitio que sólo existe en el año 85? —preguntó Mónica.

—Quizá es porque en ese año sentí que formaba parte de una generación muy diferente a cualquier otra —contestó Andrés.

XII

16 DE NOVIEMBRE DE 2002

Trinidad entró en el despacho del doctor Aguilera sin encontrar a nadie en su interior. Quería investigar la ficha de su marido, pero una bocanada de calor, de aire muy caliente, abrió las ventanas del habitáculo y la mareó levemente. Entonces aparecieron Natalia y Ruth, la enfermera.

—Su hija está con el paciente —advirtió la enfermera, mimando ese instante en que podía disfrutar de su ídolo televisivo. Trinidad movió levemente la cabeza con la mirada perdida.

Natalia avanzó hacia una butaca frente a Trinidad y se sentó con los brazos a un lado. Alta y delgada. El pelo muy negro. Las manos huesudas. Una excesiva ausencia de maquillaje en ese rostro austero, casi equino, demasiado castellano. Severo y al mismo tiempo quebrado por un dolor incapaz de ausentarse.

—Quiero que sepas que yo no he infectado a Rodrigo.

Trinidad no pudo levantar los ojos. Detestaba a esa mujer por muchas razones, la mayoría de ellas vinculadas a Rodrigo, es decir, por razones amorosas. Pero, sobre todo, la odiaba por la humillación de saberse la exitosa presentadora de un programa de regresiones bajo el escándalo público. Esa cruel certidumbre le impedía levantar los ojos del suelo.

Natalia tenía el elegante tic de sacudirse una parte de su nariz. Parecía cierto, pues, lo que se decía en los ochenta sobre su tabique de plata. Sus ojos, almendrados y castigadores, eran bellos. «Demasiado poderosos, mierda», pensaba Trinidad. Pero era ella, Trinidad, quien de verdad tenía el poder. Si Rodrigo moría en esa clínica rodeada de periodistas ávidos de más noticias sobre el «marido sidoso de la experta en regresiones», ella sería la viuda, la mujer que lo separó de esta enajenada vestida con recuerdos de otras épocas y de otros sueños.

—A tus invitados, al menos, los presentas cuando se sientan delante de ti, Trinidad —dijo Natalia.

—Las dos sabemos quiénes somos.

—No, yo no sé aún quién eres, Trinidad, ni por qué Rodrigo quiso ir a mi casa en Malasaña. He venido a la clínica porque quiero aclararlo.

—Son demasiados años los que necesitas aclarar.

—Yo no lo veo así. Conocí a un hombre diferente al que tú creaste. O si no quieres que te lo diga así, al que tú contribuiste a manipular.

—¡Rodrigo no iba a hacer nada con su vida si continuaba contigo, de garito en garito, noche tras noche, cre-

178

yéndose parte de algo importante que se desvanecía por todos lados! —exclamó Trinidad, levantándose de su silla y sintiéndose parte de un diálogo que no podía dirigir.

Natalia aprovechó para mirarla bien. Era cierto que la televisión engorda a las personas. Este pensamiento la enfadó. Tenía muchas cosas que decirle a la mujer que consiguió arrebatarle al hombre con el que fue joven, feliz y dueña de una fantástica parcela del mundo como para caer en preocupaciones de maruja. Así que se mordió el labio y empezó a calcular cuántas horas de ejercicio emplearía Trinidad para tornear esas piernas.

—Trinidad, nosotros no teníamos un plan trazado. Queríamos subirnos a una ola y seguir en ella hasta donde nos llevara. Ésa fue nuestra promesa. Y así vivíamos, pero apareciste tú, y tú decidiste aburguesarlo y hacerle creer que podía ser tan buen arquitecto como su padre y que debía entrar en la empresa familiar y ponerse a diseñar casas. Pero él sólo consiguió redecorar edificios que su padre ya había construido.

—Rediseñar, no redecorar —argumentó Trinidad.

—¿Existe alguna diferencia? ¿Alguna vez has intentado pensar como piensa Rodrigo?

—Yo no soy él.

—Pero el amor, a veces, te hace entender cómo piensa tu pareja. Si lo hubieras hecho, habrías visto la confusión a la que arrojaste a Rodrigo.

—Yo le conseguí proyectos. Lo hice fuerte. Lo convertí en un profesional de éxito. No voy a estar aquí sentada mientras una... pájara como tú, vestida con ese ridículo negro de rockera gótica, se burla de la elección

179

que tomé —bramó Trinidad, que volvió a sentarse fieramente frente a Natalia.

Silencio.

—Es diseño de una amiga a la que estoy apoyando para el próximo Cibeles —confesó Natalia tras la pausa.

—Retiro lo dicho. Me gusta ese *revival* —agregó Trinidad, imaginándose que si alguien las escuchara aseguraría que dos rivales jamás se tenderían puentes de esa manera—. De todas formas, Cibeles, como semana de la moda española, está tan establecido y resulta tan burgués, hoy en día, como mi propia profesión —Trinidad disimulaba perfectamente sus colmillos de periodista avezada.

—Pero yo no formo parte de ningún comité de selección. Hace diecisiete años, un par de amigos, Rodrigo y yo creímos que nuestro criterio joven, nuevo, formado por tantas influencias, no sólo la pintura o la música, sino el diseño, la arquitectura, la televisión, el cine o la propia historia de este país... nos ofrecería una visión más amplia, y creímos que la moda permitiría encerrar todas esas visiones. Luego, nos enfrentamos a la industria.

—Y a las drogas, Natalia.

—Y a muchas muertes que nunca imaginamos que llegarían tan pronto, Trinidad. Pero antes de que eso nos perturbara, nos sabíamos fuertes y, sobre todo, capaces de manejar la información que poseíamos.

—Haciendo ropa que luego se quedaba en algún armario, ¿esperando qué?, ¿una gran exposición de los talentos perdidos en los ochenta? Ese maldito mito está llevándose la vida de mi marido, Natalia. ¿No lo entiendes? Yo he perdido más de nueve años de mi vida, de mi amor. Llámalo promesa, compromiso o matrimonio, como quieras. Pero yo lo he amado y he sacrificado años, horas, días enteros para que Rodrigo comprendiera que no podíamos vivir en este mundo creyendo en ideologías que no tienen base ni defensores.

—Estamos perdiendo el tiempo, Trinidad. Hablamos de cosas diferentes.

—Si yo soy la burguesía y tú la libertad, ¿no piensas en nuestra hija? ¿Sabes el tipo de niña que es? Más que precoz, lee lo que no está escrito en las paredes. Nuestra hija se va a dormir cada noche preguntándome si he hablado contigo, si he logrado verte. Por eso acepté este encuentro —Trinidad sentía la garganta seca. Una espina de sudor resbalaba por su espalda. Las manos crispadas parecían sobreactuar—. No sé adónde llegará esta conversación, pero al menos tienes que decirme de qué me acusáis Rodrigo y tú.

—De nada —dijo Natalia.

Trinidad se levantó de la silla.

—No es verdad. Son muchos años sabiendo que existes.

—Como Lady Di y Camilla —no pudo evitar agregar Natalia.

Trinidad volvió al sillón.

—Mi marido se está muriendo, absurda, y no necesito que me hables como si estuvieras en una película.

—Pero lo estamos. Y eso, por ejemplo, es algo en lo que siempre creímos Rodrigo y yo, seguramente por haber nacido en una época donde nos fascinaba saber que alguna cámara podía estar observándonos.

Y todo esto, desde luego, años antes de *Gran Hermano* y años antes de que tú hicieras a Rodrigo vivir, y probablemente morir, perseguido por todo tipo de cámaras. Creíamos que nuestra vida era una completa ficción y que lo único real eran los datos que la ficción nos ofrecía. Por eso fuimos esclavos de la moda, amigos de la «Movida», fieles a lo lúdico, defensores de la frivolidad, hermanos de la coca y novios del dejarse llevar.

La enfermera Ruth abrió la puerta. Trinidad retomó su compostura de estrella televisiva y de ama de casa perfecta.

—Sólo unos minutos más, si es posible.

Ruth volvió a salir, dejando tras ella una mirada de inquina contra Natalia. Ésta se levantó, se acercó a la ventana y observó un par de aviones cruzar el cielo. Al mismo tiempo un tren de cercanías avanzaba en dirección contraria a los aviones. La autopista mantenía el fluir de coches rojos. «Siempre son rojos los coches en Madrid, Natalia», le dijo una vez Rodrigo cuando subían por Gran Vía a las ocho de la mañana, emergiendo de la oscuridad de la penúltima discoteca.

—Rodrigo se infectó a través de una amiga, Fabiola. No la busques. Ha decidido marcharse a Costa Rica y morir allí, lejos de los fármacos que sólo podemos comprar en Europa.

—Allí también los tienen, Natalia. Es lo que le he dicho a Rodrigo, que quiere hacer lo mismo.

—No, Trinidad. El sida es una enfermedad de gente rica, pero se da la injusticia de reproducirse, precisamente, en países de gente pobre. Aquí, tanto Fabiola como Rodrigo habrían podido engrosar la lista de los muertos en vida; de la gente atrapada en una espiral de medicamentos que hacen aún más ricas y poderosas a las multinacionales de la farmacia.

Trinidad se exasperó. Era el mismo discurso de Rodrigo; lo que llevaba un mes escuchándole desde que lo recogieron en esa asquerosa calle y una nube de fotógrafos se apostó en su casa para preguntarle cómo progresaba la enfermedad de su marido. «Es la vida de mi marido, por Dios, no un argumento para una nueva ideología o una nueva declaración de principios.»

—Quiero ver a esa Fabiola.

—No, ella no quiere —Trinidad se levantó de nuevo. Natalia se giró para verla y descubrió que tenían la misma estatura, el mismo porte, casi la misma mirada. ¿Quién lo iba a decir de esa mosquita muerta que aparecía de vez en cuando por el Rock-Ola, más adelante por el Estella y luego por el Morocco? ¿Quién lo iba a decir de esa mosquita muerta siempre bien vestida, hablando de sus buenas notas en la facultad y de sus inclinaciones filológicas? ¿Quién iba a decir que esa niñita de barrio bien, muñequita Pozuelo, iba a convertirse en Trinidad Velasco, la madre de Jimena, eso que ella, Natalia, de negro gótico, no pudo ser?

—Quiero que me digas cómo ocurrió, Natalia. Se nos acaba el tiempo.

—En el año ochenta y seis Rodrigo y yo nos peleamos. Estuvimos todo el verano sin vernos. Un día, a finales de agosto, fue a buscarme a casa. Yo estaba de viaje. Por entonces Fabiola vivía conmigo. Le habló de mi viaje, pero que podían salir a dar una vuelta. Ella estaba infectada, aunque aún no lo sabía. Durante casi un mes vivieron noches de mucha droga y de sexo sin protección. Y así fue como ocurrió. A mi regreso, Rodrigo y yo hicimos las paces y todo siguió como antes. Después apareciste tú y lo secuestraste. Entonces me juré no volver a verlo. Al poco tiempo de casaros, en el noventa y tres, Fabiola se enteró de que era portadora. Me llamó para contármelo y también llamó a Rodrigo. Fiel a mi juramento, permanecí al margen. Por ella sé que Rodrigo se hizo las pruebas y que resultó seropositivo. Por ella también sé que para él la enfermedad fue la puerta para llevar a cabo su vieja fijación: morir a los treinta y siete años. Por eso se negó a visitar médico alguno y por eso nunca ha querido medicarse. Es una suerte que tú, Jimena y yo estemos limpias. Es una suerte.

XIII

17 DE DICIEMBRE DE 2002

Desde la consulta de Cortezo, Andrés miró el mar como si fuera la última vez. Adoraba esa calma, ese espacio. De niño descubrió que las olas crean diferentes niveles al desplegarse y soñó alguna vez tener una casa que fuera así, de distintas alturas, apenas visibles, como las que crea el agua antes de confundirse con la arena.

Escuchó la puerta cerrarse y cerró también los ojos. Le encantaría abrirlos y ver allí a sus padres o al menos a su madre invitándole a ver una película en la primera función de la tarde.

—No son buenas noticias, Andrés —era la voz seca del doctor Cortezo con ese sabor a plátano frito y a todo tipo de carbohidratos.

—¿Has perdido en el golf?

—Tus pruebas para detectar el consumo de sustancias ilegales han dado positivo. Acabas de colocarme en un aprieto. Grave, muy grave. Y, desde luego, no hace un año desde la última raya.

—¿Tiene que denunciarme por consumirlas?

—Sí, Andrés, porque estás en un tratamiento que conlleva mi supervisión.

—¿Como a Robert Downey Junior?

—Es que Estados Unidos, este gran país al que nunca damos suficientes gracias por cobijarnos, tiene leyes muy estrictas con respecto al consumo de sustancias ilegales.

—¿Por qué le cuesta tanto llamarla cocaína, si ha sido tan importante para el psicoanálisis?

—Andrés, *this is fucking serious* —asestó Cortezo, que siempre que debía afirmar algo importante lo hacía en ingles—. *You are on probation, don't forget it. And you were required to exam systematically to trace any drugs you might take...*

Cortezo le hablaba y él continuaba mirando el mar e imaginando a una chica bailar, sola, en la arena, delante de la casa de Versace, sorprendiendo a los turistas que se fotografían en las escaleras donde le asesinaron. Ella haría gestos lentos, como si flotara allí mismo entre la arena y el pavimento. Y una orquesta invisible. ¡Oh, sí! Adoraba tanto las orquestas invisibles de los grandes musicales de los treinta. Entraría suave, *easy*, arrastrando el sonido de sus trombones, una pequeña pandereta, el piano puntual del buen jazz, las cuerdas de una guitarra como gotas de rocío en mayo, que decía su madre cuando algo era delicado. Y la chica, delicada también, movería los dedos en el aire y las gotas de un sudor divino le resbalarían por el ombligo y le humedecerían el bikini y seguirían hacia sus tobillos y de allí hasta la arena. La gente pasaría detrás de ella, en dirección al mar, y un inmenso ferry abandonaría el puerto. La chica saludaría a todos los ancianos apostados en la proa. El inmenso barco sería como una parcela de edificios, oh sí, como si los hermosos rascacielos *decó* que tanto le gustaban se moviesen hacia el océano y quisieran hundirse; desaparecer junto a los tesoros de Estados Unidos que había visto en su última visita al bar de Collins Avenue.

—Andrés, es mejor que abandones Miami. Yo no puedo entregarte, pero los médicos donde te has hecho las pruebas sí lo harán —finalizó Cortezo, sin percatarse de que nadie le escuchaba.

Mónica colgó el teléfono mientras Victoria observaba la única fotografía propia que Andrés tenía en su casa. Se le veía un poco aniñado, con su sonrisa escondida y el pelo casi tapándole los ojos. Estaba delante de la casa de Gianni Versace en Ocean Drive, como si se burlara del mundo, con una mano levantada y la otra amaneradísima a propósito en la cintura.

—Qué macabro —dijo Mónica, sin poder ocultar su agobio—. Nunca entenderé cómo lo permite la familia. Todos los días miles de personas se paran en esa puerta y se hacen una foto. No están celebrando el talento del diseñador, sino el lugar donde le asesinaron.

—Es muy América, cariño. Y Versace tiene que seguir recibiendo sus billetes verdes. ¿Qué han dicho los del servicio de limusina?

—Victoria, no puedo hacerlo...

—Claro que puedes hacerlo, Mónica —le instó Victoria, acortando los ojos y afilando los pómulos—. Es *life or death, baby. Mandatory* —exclamó, irguiéndose como si fuera una versión femenina de Moisés con las tablas de la ley.

—Nos engañó a las dos y a sí mismo. Dijo que lo dejaría, que se había asustado la última vez, que sabía perfectamente en el problema en que estaba. Que esto es un *fucking dead serious issue* en este país.

—Hija mía, es tan... hipócrita todo. ¿Cómo podemos vivir en un país que condena sistemáticamente la droga y, sin embargo, la consume más que ningún otro?

—Peor es vivir en el Vaticano, Victoria, con todos esos curas ocultando pederastas en Boston.

—Yo soy judía, cariño. No tenemos esos problemas en la sinagoga. Por favor, Mónica, coge el teléfono de nuevo y contrata esa limusina para Andrés.

Andrés apareció en el salón, alegremente vestido con un vaquero muy ajustado y oscuro, camisa blanca almidonada al punto de la crispación, americana de rayas diplomática y botas de pitón italianas.

—Listo para la aventura —advirtió a sus amigas.

Pero Mónica quebrantó la atmósfera de jovialidad, rompiendo a llorar. Victoria encendió un cigarrillo e intentó colocárselo entre los dedos a la amiga llorosa.

—¿Por qué nos mentiste sobre la mierda de la cocaína? —aulló Mónica.

Andrés miró a Victoria y se sentó cerca de la foto en la puerta de Versace.

—La escondía aquí, detrás de la foto. Un gramo o dos cada tres días. No es tanta, pero es un problema y lo han detectado esos *fucking* exámenes. Mónica, no estoy hecho para cumplir promesas largas. Siempre las he roto.

—¿Y todo eso de ir a un bar donde traspasabas el tiempo?

—Traspasábamos, querida —recordó Victoria—, que yo también estuve allí.

—Estabais hasta arriba, idiotas.

—No —dijo Victoria—. Yo no me meto y lo sabéis. Y si hubiera sido la coca la causante de aquello, sería, sin duda, la mejor raya del mundo, que bien valdría la pena.

Andrés se rió, tranquilo, como si nada terrible estuviera sobrevolándole. Agradeció a Mónica su llanto y a Victoria su espíritu divertido. No parecía judía, en realidad. Nunca sufría por nada. O, a lo mejor, precisamente por ser judía se sentía invulnerable ante la culpa, la razón y el dolor.

Pausadamente, con el aplomo que la coca muchas veces le brindó y arrebató y le volvió a brindar en más de una reunión de mandamases televisivos, expuso su caso y elaboró la que sería su despedida de las dos mujeres que, entre fallas y aciertos, también le hicieron amar Miami.

—Lo más terrible de cualquier adicción es la vulgaridad innata que existe en todo delito. Quiero decir..., jamás me gustó que me vieran consumir y tampoco disfrutaba escondiéndome. Empecé, pues, a desarrollar una curiosa disciplina para administrar mis dosis. Tomaba prácticamente medio gramo antes de salir de casa. Lo hacía de la siguiente manera. Después de ducharme, perfumarme y vestirme, una raya corta y luego otras más fuertes. Tomaba agua y salía. Tras el almuerzo, el mismo procedimiento, pero siempre en casa. Y, por supuesto, también antes de cenar. Si alguna vez, que la hubo, las cosas se disparaban, quiero decir, el cerebro se volvía un cóctel de culpas y perdones, continuaba bebiendo agua y tomando en grado descendente, es decir, gran raya y luego rayitas, rayitas y ya una mínima que me devolvía a la cama, siempre a llorar desesperadamente por no saber cómo librarme, cómo dormir, dónde despertar.

Mónica intentó incorporarse, como para ir al baño y huir de esa confesión, pero decidió mantenerse allí. Victoria lo miraba seriamente.

—¿Conocéis el caso de Robert Downney Junior? —preguntó Andrés.

—Estoy más interesada en lo de Gloria Trevi, cariño, por paisana y disparatada —apuntó Victoria, impecable—, pero estoy al tanto. Pobre, tanto talento. Pero es que Hollywood es peor que el holocausto.

Andrés se rió. Mónica miraba el teléfono, absorta.

—Su historia es el reflejo de la persecución propia de un país policial, como en el que vivimos —siguió él.

—En el que hemos escogido vivir, Andrés —apuntó Mónica.

—O a lo mejor ha sido al revés, Mónica —dijo Andrés—. A lo mejor Estados Unidos, como la gran corporación que es, va buscándote a lo largo de tu vida y de pronto te contrata y empieza a hacer con tu vida el guión de la película que cree corresponderte.

Las dos se quedaron mudas mirándole. Mónica no dejaba de pensar que toda esa verborrea, esa lógica súper lúcida va estrictamente asociada a la cocaína. De hecho, ella también fue adicta. Ella también se inventó disciplinas diarias para administrarse las tomas y no hacerlo en público. Silencio. Andrés prosiguió.

—Esto no lo sabéis, pero también fui arrestado en Boston. Tenía menos de veinte años, pero la suficiente cocaína como para resultar un peligro público. Mis padres, sobre todo mi madre, movieron algunos hilos y salí con una *probation*, lo que me confinaba a un centro penitenciario de rehabilitación. Allí aprendí a ver la televisión —rió un momento y miró a sus amigas, completamente pendientes de sus palabras—. Y allí comprendí que la televisión está condenada a hacerte reír con las tretas más absurdas y, a veces, con las artimañas más burdas. Entonces decidí ser un hombre de televisión y abandonar mi carrera de niño rico sin más, mitad europeo, mitad americano del este. Se me ocurrieron un par de ideas, una de ellas para un programa donde la gente viajara a través del tiempo y descubriera su origen. Esto ocurrió recién muerta Melisa. Después pasé una temporada en España. Volví a Estados Unidos. Entré en el mundo de la televisión y la televisión me obligó a seguir consumiendo más y más. Y como suele suceder, me pillaron comprando drogas a un camello gay, ex modelo, ex disc-jockey, que siempre sospeché me había vendido de antemano a la policía. Al reincidir en mi crimen, volvieron a colocarme en *probation*, es decir, tendría que examinarme cada mes para detectar si había vuelto a consumir. Me propuse dejarlo y lo conseguí, pero en el noventa y cinco la cadena me trasladó a Miami. Fue el momento en que el programa de regresiones se llevó a cabo y de nuevo recaí: había mucha coca y de pronto me vi como un hombre de mucho éxito. Luego ocurriría el incidente del balcón que ya conocéis, mientras el éxito y el dinero no dejaban de regalarme oportunidades para drogarme más.

—El dinero es maravilloso, Andrés —exclamó Victoria, arrobada ante la épica que acababa de explicarle—. La gente habla mal de él, pero el dinero es perfectamente lógico. Siempre lleva por el camino correcto.

—Victoria, por favor —clamó Mónica.

Andrés prosiguió.

—De ahí pasé a manos de Cortezo, el psicólogo que, al ver mi historial, dijo que estaba obligado a someterme a las pruebas periódicamente. Fueron dando negativo y negativo hasta que sus enfermeras detectaron que yo también iba espaciando y espaciando más y más mis visitas. Y, bueno, hasta aquí.

—¿Cortezo te dio la idea de la limusina? —preguntó Mónica.

—No, la idea me la diste tú la noche que fuimos a los premios de Bill Board en el Auditorium, justo el día que Eliancito regresó a Cuba y dejó a los cubanos anticastristas divididos en un antes y un después.

Victoria no pudo evitar intervenir.

—Aunque no soy cristiana ni judía militante, doy gracias a Dios porque ese niño regresara a Cuba. Imagínate lo que hubiera sido trasladar DisneyWorld a South Beach sólo para que el niño bailara con Goofy y esos cubanos de la Bahía de Cochinos cantando «God Bless America» día sí, día no.

Volvieron a reír. Victoria aprovechó el paréntesis que había creado.

—Eliancito, al final, nos permitió a todos los latinos no cubanos formar parte de Miami. Porque es que los gusanos tenían una dictadura establecida en la ciudad. Si no eras cubano y anticastrista no podías ni abrir una heladería. Después de que el niño volviera a la isla y éstos se quedaran derrotados en medio de sus patacones, Miami, cariños, se ha hecho mil veces más habitable.

Mónica, conmovida por Andrés y por el sentido del humor de Victoria (que más que humor parecía su manera de ver la vida como una fiesta en el D.F.), cogió el teléfono.

—*This is* Mónica Barrios *speaking, yes from Music and the World* —ése era el nombre de la compañía que Andrés creó para sus *taxes* y *so on*—. Queremos una limo para el señor Salgado. Sí y vamos a contratarla indefinidamente.

Victoria lanzó un grito:

—¡Indefinidamente es una pasta!

Andrés sonrió enigmático. Mónica continuó con la contratación.

—*Yes, yes, Larry, listen to me...* El cliente va a recorrer el país. Sí, de Miami a San Francisco. Sí, no importa que tengan que parar para cambiar de chóferes, lo hemos contemplado. Sí, el señor aceptará que algunos sean latinos.

Andrés hizo un gesto pidiendo a Mónica que detuviera la conversación.

—Por favor, Mónica, haz lo posible para que sean americanos.

Mónica se exasperó.

—Estás comprándote una cárcel sobre ruedas. No puedes exigir la nacionalidad de tu carcelario.

—Claro que puedo, mientras lo pague. Di que ofrezco un plus de propinas si los chóferes son americanos.

Mónica hizo lo pedido.

—*Yes, Larry,* estoy segura de que vas a conseguirlo. No, la limo debe permanecer contratada indefinidamente. El señor Salgado establecerá un fondo alrededor de... medio millón de dólares.

—Di, *more or less* —indicó Andrés—, que siempre queda bien.

Mónica hizo una mueca de agobio y desdén. Era evidente que Larry se había quedado sin habla al otro lado.

—Sí, debe ser la limo que el señor Salgado acostumbra llevar. Con cd. Sí, sabemos que algunos asientos son reclinables y pueden convertirse en cama. Por supuesto, el señor Salgado contrata este servicio como de costumbre sin que su nombre figure. En efecto, Larry, la prensa siempre está al acecho y podría hacer público que nuestro cliente ha contratado un excéntrico servicio de limusina para cruzar el país.

Victoria levantó los pulgares y con los labios le dijo: «¡Bien hecho, chica!». Mónica anotó un número de referencia y colgó. Inmediatamente empezó a llorar de nuevo.

—¡Estamos colaborando en un crimen al apoyar tu maldita drogadicción! Lo único que puedo hacer es llorar como una imbécil.

—No, cariño —dijo Victoria—. Como una valiente. *I'm proud of you.*

Mónica se echó hacia atrás y continuó llorando. Andrés abrió un bolso elegante y caro y extrajo una bolsa de plástico también elegante y cara, repleta de un polvo tan cristalino que ofrecía reflejos azules. Mónica se horrorizó.

—¿Vas a matarte dentro de esa limusina?

—No lo sé. Lo único que tengo claro es que un adicto es siempre un suicida.

XIV

18 DE DICIEMBRE DE 2002

Jimena dobló cuidadosamente la bolsa de plástico con los medicamentos. Eran unas pastillas feas, desprovistas de color, sólo un blanco roto.

Su madre estaba en la pantalla del televisor, iniciando una gala más de regresiones. Muy elegante. Era cierto que la televisión favorecía a los flacos, porque esa mañana cuando estuvo delante de la cama donde su padre espera alejarse para siempre, Jimena la vio entera, bien peinada, mejor vestida. La única prueba de su dolor eran los labios carnosos completamente rígidos. Una mañana más no se dijeron nada y Jimena lo entendió. Trinidad sabía que Jimena colaboraba con su padre para que no se tomara los fármacos: los guardaba en unas bolsitas de plástico que luego eran entregadas a una ONG que las repartía, seguramente sin el conocimiento de las autoridades médicas, en países subdesarrollados.

Jimena confesó que había llegado a ese acuerdo con Natalia, la misteriosa mujer que se negaba a despedirse de Rodrigo pero que, sin embargo, había aceptado conocer a la hija como petición de su padre.

La revelación de este entramado obligó a la dirección de la clínica privada a exigir a Rodrigo que abandonase la institución por haber saboteado voluntariamente el tratamiento. Y por ello, esa noche de frío agradable, ambiente navideño incluso en el decorado del programa de regresiones, Rodrigo dormía en la habitación de su casa mientras Jimena continuaba guardando los medicamentos para acercarlos a otros enfermos del mismo mal contra el que su padre había decidido no luchar.

—¿Desde cuándo estás aquí? —habló Rodrigo.

—Media hora —dijo Jimena, asustada. Una noche antes de salir del hospital, Rodrigo no la reconoció y Trinidad entró en una crisis de llanto. Además, Jimena había oído a una enfermera decir a un médico lo siguiente: «Se pasa horas hablando con el padre; no se asusta cuando éste olvida su nombre o cuando se pone a gritar títulos de películas. Cámbieme de turno, se lo suplico. Es la niña la que me da miedo».

—Estuve soñando otra vez con esa película, Jimena.

—¿*El lago azul*, papá? —dijo ella.

Rodrigo abrió los ojos lentamente. Estaba perfectamente consciente. No sentía dolor ni en los huesos ni en el estómago. A Jimena le pareció que el aire estaba limpio, que hacía un frío cómodo, como si fuera la tarde de fin de año cuando se espera la hora de la cena. Imaginaba esa tarde de fin de año e imaginaba que su padre vendría a su habitación y le pediría que lo acompañara al comedor. Él llevaría un pantalón de lana negra y suéter de cuello vuelto también negro. Manos fuertes y dedos largos y elegantes. Jimena estaría vestida con un pantalón de pana de color azul y el pelo muy alborotado para que su madre le riñera. Sus padres se tomarían una copa de vino en la cocina y supervisarían que toda la comida estuviese en su sitio: el pescado en el horno, el cordero esperando su momento, los mariscos en las bandejas. En el salón, la chimenea y la colección de sillas de Charles Eames de su padre se moverían como si tuvieran vida propia, como si fueran en realidad los grandes invitados de la noche.

Rodrigo sintió un escalofrío fuerte. Vio a Jimena y creyó que estaba vestida como él mismo, treinta años atrás.

—Estabas hablando de *El lago azul*, papá. Es una mala película, ¿por qué te empeñas en recordarla tanto?

—Por ella, por Brooke Shields. Quería que fuera mi primera novia.

—Ni mamá ni Natalia se parecen a ella, papá —dijo Jimena, siempre asertiva.

Rodrigo se giró para verla bien y ella sostuvo la mirada.

—¿Estoy muy feo, mi amor?

Jimena asintió. No había necesidad de mentirse. Rodrigo tenía algunas llagas, la piel cada vez más adherida a los huesos y los ojos siempre verdes, iluminados desde dentro: la única luz encerrada en la oscuridad de lo que una vez fue rostro.

—¿Por qué no te doy miedo, Jimena?

—Porque te quiero —respondió ella, colocándole sobre la frente nuevas gasas tibias y arrojando otras al cubo junto a la cama.

—Siempre terminamos estos diálogos diciéndote lo brillante que eres, mi amor —dijo Rodrigo.

—A veces también me llamas precoz —corrigió Jimena.

—Y te pido que no sufras en la vida por ello. No todo el mundo sabe lo que tú. No todo el mundo ha vivido lo que tú, Jimena.

—Es el destino, ¿no?

—Depende. Algunos destinos se pueden alterar...

—Como tú el tuyo, ¿no?

Rodrigo volvió a mirarla y sintió que sus llagas le abandonaban y la piel se inflaba como si sus huesos, de pronto, decidieran no consumirse más. Estiró las manos y Jimena las tomó y las sostuvo entre las suyas.

—¿Puedo hacer una pregunta? —dijo ella. Rodrigo cerró los ojos y la sensación de un bienestar milagroso se evaporó—: ¿Nunca estuviste enamorado de mamá? ¿Siempre estuviste pensando en Natalia?

Rodrigo asintió.

—Naciste tú y entonces encontré a la persona más importante de mi vida.

—Y si yo soy esa persona importante, ¿por qué me dejas?

—Porque todo lo que soñé que iba a realizar ya no tengo tiempo para hacerlo a la altura que deseaba.

—¿Y cuál era esa altura, papá?

—Una demasiado grande. Quería ser mejor arquitecto que tu abuelo, mejor que el mismo Mies. Y no lo soy. Me asustó pensar que no tenía nada original que ofrecer, que toda mi obra o era una copia del abuelo o era un remedo de todos los grandes que él también reverenció. No pude ser un buen marido porque Trinidad no era un amor, sino un medio para conseguir esta casa, para conseguirte a ti, para imaginarme que, al menos, podía tener una felicidad familiar. Y no fui un gran amante, porque dejé escapar a Natalia. Todavía me duele su promesa de no volverme a ver.

—Si alguna vez me acusaran de haberte ayudado a...

—¿Morir? —culminó la frase Rodrigo.

Jimena asintió.

—No es cierto. Yo escogí separarme de los medicamentos. Tú has estado conmigo, a mi lado, para que yo te explique qué es la verdad en la vida, en tu vida, en todos nosotros y para que nadie te lo cuente de una manera tergiversada. Tu madre ha estado de acuerdo.

—Y por eso la quiero ahora más, papá.

Rodrigo sacó una mano fuera de las mantas. Los escalofríos se movían bajo las yemas de sus dedos como serpientes en una cesta.

—Vas a ser mejor adulto que nosotros, Jimena.

—Ayer, con los escalofríos, cuando delirabas, hablabas de *Barrio Sésamo* y del monstruo de las galletas, y yo pensé que lo bueno de nosotros dos es que hemos visto el mismo muñeco a la misma edad.

—Y Natalia también. Además, ella imitaba muy bien al monstruo de las galletas y a Coco —Rodrigo se rió con el consiguiente ataque de tos que Jimena prefirió no observar. Recuperó el aliento y sobrevino un silencio. Jimena se levantó y jugó a ser Coco, caminando hacia adelante y hacia atrás.

—Hola, soy Coco. Vamos a aprender qué es delante —se iba hacia delante—, y qué es detrás —y volvía hacia atrás.

Rodrigo no se atrevía a reír más, pero la miraba y deseaba que si alguna vez terminaba esta lucha, fuera exactamente allí. Jimena también lo sintió así.

La noche anterior Rodrigo no dejó de hablar de su legado, de lo que deseaba dejarle a ella como información. Y sólo citaba nombres, nombres. El *Challenger*, esa terrible explosión de la que Jimena recopiló información en Internet. Como pudo comprobar la niña, en ese vuelo viajaba una profesora que iba a impartir una clase en el espacio. Murió a los treinta y siete años, como su padre, junto al resto de la tripulación cuando la nave estalló delante de miles de espectadores. Había anotado más datos de los que Rodrigo escupía en el delirio de la noche anterior: *Blade Runner*, la película que esperaba ver esa noche, si podía, en el vídeo de su habitación. Y deseaba escuchar lo que su padre había dicho en pleno delirio: «Yo he visto cosas que vosotros no creeríais: atacar naves en llamas más allá de Orión. He visto rayos C brillar en la oscuridad cerca de la puerta de Tanhaüser. Todos esos momentos se perderán en el tiempo como lágrimas en la lluvia. Es hora de morir». Y, por último, tenía que buscar más datos en su ordenador sobre el anuncio de Barcelona como capital olímpica. «¿Recuerdas,

Natalia, cuando quisimos mudarnos a Barcelona y verla abrirse al mar y crecer hacia las Olimpiadas? Tú dijiste: «Por fin somos una nación joven. Somos más modernos que Estados Unidos y Europa». La insomne Jimena había anotado palabra por palabra todo el deliro de su padre.

—¿Sigues aquí? —preguntó Rodrigo. Jimena notó que le costaba hablar, como si algo cerrara su garganta.

—Papá, no estás hablando bien.

Rodrigo cerró los ojos e intentó controlar su respiración. No deseaba alarmar a nadie. Sólo quería irse tranquilamente, no oscurecer aún más la situación.

—¿Está nevando? —preguntó.

Jimena fue hacia la ventana y comprobó que el día se convertía en noche, que todo estaba frío, que las Salesas dentro de nada empezaría a tañer sus campanas, pero que no nevaba.

—Sí, papá, está nevando. Muchísimo. Como el día de tu cumpleaños, hace casi un año.

Rodrigo movió las manos apenas para que ella se colocara delante de él. Jimena lo hizo.

—Brooke Shields fue mucho más bella y mucho más sexy que Nastassja Kinski. Qué hermoso fue, Natalia, el verano del 85.

Rodrigo se quedó mirándola; Jimena no hizo nada. Y de pronto, Rodrigo empezó a cantar. Voz dulce, tierna. Una canción de Yuri que detestaba de adolescente, pero que ahora, sin explicaciones, ofrecía a su hija como último legado: *si para enamorarme basta una hora, pasa ligera la maldita primavera, pasa ligera, me hace daño sólo a mí.* Él cerró los ojos.

Jimena, sin poder explicárselo, se giró para ver la habitación, como si algo se moviera en ella: un frío de color azul, un aire envolvente y amable que parecía despedirse de los muebles y del tono entre orquídea y gris de esas paredes que su padre había pintado personalmente. Las dos sillas años cincuenta, como decía Rodrigo, que habían comprado en el Rastro siendo ella muy niña. Los tres o cuatro libros de arquitectura de Madrid apilados en la mesita de noche. Uno de ellos abierto en una fotografía del edificio que su padre más apreciaba: todo hormigón negro y ventanas de un vidrio que a sus ojos, en ese instante, parecía más transparente en la foto. Y esa estatua que coronaba el edificio, un ave gigante dominada por un hombre de hierro. Vio, juraría que sí, cómo ese aire frío que sobrevolaba los muebles se detenía delante de la ventana cerrada. Entonces Jimena se levantó y la abrió para que el auténtico frío de la calle entrara y terminara por abrazar todos los recuerdos que deseaban abandonar la habitación.

XV

20 DE DICIEMBRE DE 2002

Daniel inició la víspera de su cumpleaños número treinta y siete en el aseo de caballeros de la terminal B del aeropuerto de Ezeiza. Una mañana más, le sorprendía que ningún guardia de seguridad, ningún viajero o ningún turista alemán dispuesto a descubrir la belleza de la pampa, le hallase allí, con una ropa que no era la suya y que sin estar muy desaliñada tampoco parecía nueva, ni rigurosamente limpia. Se afeitó, aunque lo hizo después de pensar mucho si de verdad le apetecía recibir su cumpleaños con esa barba robinsoniana; una barba que lo acompañaba desde que, hacía casi dos meses, decidiera quedarse a vivir en Ezeiza, en el aeropuerto.

¿Cómo explicaría a Bárbara y a Sergio que él, el distinguido y elegante Daniel de El Dorado, de la tienda de espejos, el hombre que sabía quién se había acostado con quién en el Hollywood de los cincuenta, estuviese en ese estado: meando, cagando y afeitándose en un baño del aeropuerto en cuyo doble techo ocultaba una valija de ropa robada?

Resultaba bastante fácil de explicar. Seguramente los amigos de El Dorado, aquellos que le vieron entrar a la cocina Vip vestido con kaftans cedidos por maricones anticuarios, o con suéteres de cuello vuelto o trajes de lino egipcio, no podrían creerlo, pero él los tranquilizaría: no era un mal sitio para vivir y, sobre todo, para reflexionar. De cualquier forma, la verdad era muy distinta. Tras el incendio de El Dorado y el reciente fracaso del negocio de espejos, Daniel carecía del dinero mínimo para pagarse un alquiler. Trasladarse definitivamente a Trenque Lauquen con sus padres parecía un suicidio. En una de sus visitas diarias a Ezeiza, hacía un par de meses, se quedó una noche allí. Así ocurrió varios días seguidos, hasta que, definitivamente, vio la viabilidad de la estancia: un espacio en un doble techo donde esconder ropas y otros objetos, cuartos de baño para asearse a diario y, sobre todo, la facilidad de engañar a turistas y disponer de un dinero más o menos rápido. En definitiva, un comportamiento impropio en alguien como Daniel, pero tampoco tan extraño en un país como Argentina, permanentemente a la deriva.

La remodelación de Ezeiza le había dado un aspecto futurista. No se hartaba de decirlo incluso a esos pobres turistas a los que asaltaba, sin más, en la terminal de llegadas y a los que fingía acompañar al taxi o al *remise*. Les hablaba de las maravillas de Buenos Aires, que a pesar de la crisis sin fin seguía siendo la ciudad más hospitalaria del mundo y la más elegante de Latinoamérica. «La más paqueta, que es como llamamos los porteños a lo que de verdad tiene clase.» Algunos picaban. Otros le dejaban un dólar o dos. La mayoría, nada. Cuando hacía más de veinte dólares, los cambiaba en un hipermercado, entre el aeropuerto y la capital, donde se abastecía de provisiones. No comía siempre en las cafeterías del aeropuerto porque, aparte de ser prohibitivas, se arriesgaba a ser descubierto.

En esta nueva vida, la regla número uno era no llamar la atención. Voluntariamente, Daniel Ezeiza, como había decidido apellidarse, pasaba por ser un hombre de buen aspecto pero profundamente tímido y casi camuflado con el mobiliario del aeropuerto. Sí, él, que toda su vida llamó la atención por su ropa, por su actitud o por su cultura de información banal, ahora debía procurar no parecer un sin-techo, sino un viajero extraviado y sin origen. En definitiva, un lunático regular.

Esa mañana había visto a una pareja perfecta para someterla a su terapia de bienvenida. Ella parecía la jefa de la relación: pelo rubio muy fino, paso decidido y origen noruego, sin duda, por su aspecto Mette Marit. Él, más o menos gordito y cansado del *jet lag*. ¿Qué buscarían en esta Argentina desmoronada? Seguramente querrían ver las ruinas de la paridad y luego harían un viaje baratísimo y mono a Punta del Este, esa zona de playa ahora menos repleta de ricachones porteños y más invadida, quizá, por esposas de millonarios encarcelados tras intentar el osado deporte de la fuga de capital.

El noruego era más o menos de su tamaño, aunque Daniel estaba mucho más delgado. No parecían ser muy *fashion oriented.* Es decir, él llevaba unos Levis blancos y un jersey colgando de un brazo. Ella iba en plan Mette Marit, pero con telas alemanas, duras e incapaces de un buen pliegue. Pero, claro, de ella no se iba a vestir: bastante jodidas estaban las cosas como para que ahora intentara descubrir el mundo del travestismo.

Con el auge del *secuestro-express*, lo primero que necesitaba saber alguien que visita Buenos Aires es que en Ezeiza, como en cualquier aeropuerto del cono sur, jamás se debía tomar un taxi que no hubiese sido contratado previamente por el hotel donde pensaba alojarse. Pero las compañías de *remises* —los taxis pre-reservados— no abastecían tanta demanda: todo el mundo deseaba viajar en *remises*, pese a su subida de tarifas, mientras que los taxi no pre-reservados carecían de clientes: el fantasma del *secuestro-express*. Pues bien, los noruegos hicieron la señal para llamar a un taxi y fue como si algo extraordinario hubiera sucedido en el aeropuerto. La vendedora de periódicos, rechoncha y cada vez más negra, miró, alarmada, a la pareja de turistas incautos. El encargado de la fila de espera para los *remises*, llena de gente pero vacía de vehículos, también miró a los noruegos. Éstos volvieron a hacer una señal exigiendo un taxi. El aire caliente del verano se detuvo. ¡Nadie había pedido un taxi en los últimos meses! Ni el mismo taxista se atrevía a acercarse hacia ellos, no fuera que cambiaran de idea o que alguien con sentido común les explicara que en Buenos Aires nadie toma taxis por miedo a un secuestro.

Daniel sintió que si en ese momento se aproximaba a los noruegos para intentar hacerse con la maleta del tipo, correría un enorme riesgo, puesto que todos los habituales del aeropuerto estaban observándoles. Pero su vida estaba tan completamente deshilvanada y resultaba tan triste, que no podía evitar pensar en el noruego y en la maleta llena de ropa de verano. De hecho, llevaba ya casi un mes de canícula ataviado con una cada vez más sospechosa ropa de invierno; ropa perteneciente a la maleta de otro europeo de su tamaño que robó gracias a un bendito y milagroso descuido.

Ah, los aeropuertos y sus equipajes. En la huelga de operadores del pasado noviembre, Daniel miraba las maletas amontonadas esperando que alguien las retirara. Las miraba varias veces al día, pero siempre desde el lado equivocado de la puerta. Si hubiera tenido un uniforme de operario, podría haber entrado allí, recoger alguna y llevársela a su escondite.

Su escondite secreto. Si explicara esto a cualquiera de los extranjeros, los dejaría alucinados sobre el estado de la crisis argentina. Su dormitorio era rizar el rizo, el surrealismo en expresión absoluta, pero antes era necesario describir su baño. De hecho, decidió quedarse a vivir en el aeropuerto cuando, en una de sus múltiples visitas a Ezeiza, descubrió ese aseo. Después de escribir un artículo más sobre la filmografía de Brooke Shields y desplegar su sabiduría sobre el tema en el ordenador que le dejara Bárbara, sintió un apretón. Fue al aseo de la terminal de llegadas y cagó cómodamente. Por supuesto, el ordenador siempre sobre las piernas. Se limpió. Cuando tiró de la cisterna y se incorporó vio que una de las placas del doble techo estaba movida. Se subió a la taza y la terminó de mover. Contempló todo el espacio vacío y pensó: «La cultura de la chapucería en estado puro». Pasó las manos por el hueco y comprobó que no había humedad. Con esa insólita curiosidad de superviviente vio ante sí un hueco donde alojar una maleta, así como el portátil. Ante ese descubrimiento, su mente de hombre elegante en situación arriesgada concluyó que podía guardar allí, además, un neceser con su cepillo de dientes, crema de afeitar, incluso algún capricho tipo hilo dental, que Sergio, por cierto, siempre robaba de las farmacias.

Así empezó a vivir en el aeropuerto. Dormía en una u otra terminal, junto a viajeros retrasados en las interminables jornadas de huelga de controladores que, benditas, se sucedían sin parar. Pero las divinas huelgas no podían durar toda la vida. Por tanto, se las tuvo que ingeniar para continuar viviendo en el aeropuerto sin levantar sospechas. Se planteó la posibilidad de conseguir un trabajo en Buenos Aires que, al menos, le sirviera para pagarse una pensión. Pero luego desestimaba la idea: no había trabajo en la ciudad y las pensiones costaban mucho más de lo que pudiera ganar en una sola jornada.

Sobreponiéndose a estas dudas existenciales, Daniel buscó otras alternativas vitales en su ejercicio diario de mantenerse a flote. Para un aseo completo descubrió una gasolinera detrás del hipermercado. La estación de servicio disponía de una toma de agua más o menos alejada de la vista de los usuarios. Allí se duchaba, lavaba la ropa y esperaba a que se secara. Este hallazgo le hizo entender aún más su admiración por Brooke Shields en *La laguna azul*.

El hambre y el desempleo te vuelven loco y te empujan a este tipo de vida: lavarse los dientes en un aseo público, cruzar el aeropuerto cada día, evitar permanecer mucho tiempo en alguna esquina o escuchar continuamente aviones y anuncios de vuelos a destinos maravillosos. Nueva York, Madrid, París, Helsinki. «¿En cuál de estas ciudades estás esperándome, Bárbara?»

Ezeiza se había convertido en su *Laguna azul* y su habitación terminó siendo el sitio más inesperado: la capilla. La mayoría de los aeropuertos tienen una, pero Ezeiza disponía de tres: judía, musulmana y católica. De pronto se vio con tres opciones. La judía era incómoda, porque ya se sabe cómo se vive esa religión: vacía de símbolos y con muebles verdaderamente espartanos. La musulmana no era conveniente en el mundo post 11 de septiembre. Sólo le quedaba la católica. El horario de misas la dejaba libre de doce de la noche a seis de la mañana, cuando aparecía el servicio de limpieza. Después el cura oficiaba la primera misa, a las seis y media. Daniel esperaba dando vueltas por el aeropuerto hasta que fueran las doce y cuarto. Para no levantar sospechas a veces se desplazaba con un carrito y su maleta. Llegaba hasta la puerta de la capilla. No solía haber gente a esas horas. Con una tarjeta de crédito abría la cerradura y entraba. La maleta le servía de almohada al estilo de los emigrantes que levantaron Buenos Aires. La alarma del reloj lo despertaba a las seis menos cuarto. Abría las ventanas y se dirigía al pequeño jardín que daba al aparcamiento. Allí sólo tenía que esperar un rato más para luego volver al aeropuerto, ir hacia su baño, asearse brevemente y empezar un nuevo día en su *Ezeiza Azul*.

Su maleta le iba a traer problemas. Se la robó, a las dos semanas de vivir en el aeropuerto, a un alemán de similares formas a las suyas. Pero era ropa de invierno y ahora con el calor del diciembre austral, no sólo se asfixiaba, sino que comenzaba a destacar más de la cuenta. Parecía un loco atrapado en ese suéter de cuello vuelto, o un enfermo, incluso sidoso, con un chaleco de lana gris infectado de nudos.

Esos felices noruegos traerían ropa de verano. Si repetía la misma operación que realizó para el primer robo de equipaje, podría asegurarse un vestuario más apropiado para su último cumpleaños. Rió, todavía recordaba su promesa de morir a los treinta y siete. Intentaría acercarse a la pareja Mette Marit y decirles que tuvieran cuidado con el taxi o, tal vez, ofrecerse a llevar las bártulos hasta el coche y cargarlos en el maletero. Y todo eso por la módica suma de un dólar. Mendigar no le resultaba un problema: aparecía con ese aspecto suyo de hombre que el destino ha jodido, pero que se ve educado, limpio, incluso aún atractivo. La gente se apiadaba y él cobraba esos dólares que luego arrugaba hasta hacerlos una bolita en su bolsillo.

Para conseguir distraer a estos noruegos también podría contarles su vida. «No lo creerán, pero conviví

212

con un devora-hombres y me enamoré de una mujer que nunca me vio con deseo. Sólo tuve sexo una vez en mi vida. Soy casi virgen.» Sí, ésta era la historia de sus treinta y siete años. «Bárbara nunca se dio cuenta de que la amaba. No me supe explicar. No supe decirle cómo la quería y ahora vive en España y yo aquí..., en este aeropuerto.» Podría contarles todo esto, confundirlos, llevar la maleta hacia el taxi y de golpe escapar: siempre hacia el lado menos vigilado del parking, donde sacar toda la ropa que pudiera y dejar allí esa feísima maleta de plástico verde.

Se aproximó a los dos turistas. Miró la hora en el reloj sobre la parada de *remises*. Era la una de la tarde. La noruega continuaba llamando al taxi dubitativo.

—*You should take care with the taxi, sir* —empezó a decirle al noruego y éste, al verle, dejó escapar un gesto de asombro. «Sí, me he afeitado, viejo —pensó—. No dormí bien y tengo demasiada hambre, pero me afeité. Soy un hombre digno.»

—*Please, leave us alone. Helen, run. Stop hailing that cab. Lets get out of here* —que dejara de llamar a un taxi, dijo en inglés, ¿no eran noruegos? La gorda rechoncha del puesto de periódicos lanzó un grito:

—¡La valija, mire su valija!

Pero Daniel ya la había cogido y corría a pesar de su hambre y de la sensación de que las piernas se quebrarían en cualquier instante. Corrió primero al aparcamiento y de allí a la parada del colectivo. Quizá todavía no hubiera salido y pudiese subirse y huir y llegar al hipermercado y darse una ducha. Tenía que correr más, pero el maldito noruego venía detrás y la gente se arremolinaba y lo señalaba, y frente a él señoras viajeras, como la que vio marcharse con el abrigo de pieles hace un año, lo insultaban. Estaba en la terminal dos, afortunadamente cerca de la capilla. No podía correr más, tendría que arrojar la puta maleta de ropa helvética. «Hijos de puta, los del primer mundo pueden disfrutar sus estaciones con ropa nueva.» Tiró la maleta, pero la gente iba cercándolo. Hasta una cámara de televisión. Daniel vio la capilla abierta. De la sinagoga salieron algunos judíos. Varios musulmanes lo veían correr desde su pequeño templo. «Me hacen sentir como una Isabel la Católica con buena onda», quiso decirles pero entró en la capilla católica e interrumpió la misa que, en realidad, estaba finalizando. Una señora gritó. Un hombre se llevó la mano a la cintura como si tuviera un revólver. La cámara de televisión también entró y Daniel se miró rápidamente en un espejo al lado de la pila de agua bendita. En ese momento entendió por qué todo había ido mal. No se había afeitado. El afeitado había sido una alucinación. Y entonces se vio. Se vio realmente. No era un hombre normal. Era un despojo. La crisis lo había transformado en un espantajo. Y ni él mismo se había dado cuenta de la mutación.

—Un momento —dijo con la voz espasmódica por el esfuerzo—. No soy un delincuente. Soy un hombre normal —hablaba a la cámara de televisión, que registraba sus movimientos y le insuflaba fuerzas—. Hace dos meses que vivo en este aeropuerto. Ésta fue mi habitación y puedo mostrarles el baño donde guardo, en un doble techo, mis enseres. No como bien desde hace varios días, pero recuerdo quién soy, lo que hice, las cosas en las que creo. Y a Bárbara..., a la que no supe decirle te quiero.

La policía exigía orden mientras se aproximaban para detenerlo. Un hombre corpulento, junto al cámara de televisión, pidió que lo dejaran seguir hablando. Se refirió a un documento importante sobre la realidad social de Argentina. Un policía esgrimió que no se podía grabar en la capilla, pero el cura intercedió de inmediato: «La gente tiene derecho a ver lo que está sucediendo en nuestro país». El policía accedió.

—Somos del programa *Alarma en Buenos Aires*. Queremos oírte. ¿Cómo te llamás?

—Daniel Jiménez —dijo, sintiendo de pronto que hablaba como la propia Susana Giménez—. Mañana cumplo treinta y siete años.

XVI

21 DE DICIEMBRE DE 2002

Andrés pulsó el *play* y escuchó al gran Bowie entonar «Space Oddity», al tiempo que la autopista noventa y cinco se alejaba de Miami Beach y se adentraba en el lado oeste, el más desconocido de Florida. «Comprueba motores y que Dios te proteja.» Volvió a agitar las manos en el interior de la limo. Las luces de colores hicieron su escalada del verde al rojo, al azul y al blanco espacial. Andrés sacudió su pelo y su cuerpo de fugitivo privilegiado siguiendo la guitarra de la canción leyenda.

A su lado iba la bolsa de cuero elegante y contenido ilegal. Sonreía mientras veía alejarse los edificios de su ciudad mágica. Sonrió pensando en Catalina, que estaría subiendo Collins arriba buscando un nuevo candidato a quien mostrarle ese bar donde el tiempo te devuelve al año más feliz de tu vida. Sonrió ante el llanto de Mónica, incapaz de despedirse, y ante la sonrisa y los dos besos de Victoria deseándole suerte. Iba a atravesar cerca de cinco mil kilómetros de vida, de sorpresa, de desierto y de grandes secuoyas. Todo un trayecto encerrado en la comodidad y el absurdo de una limusina blanca a través de los Estados Unidos de América. Un trayecto marcado por paradas esporádicas en moteles de carretera: comidas rápidas, aseo imprescindible y algunas horas de sueño. *Happy birthday*, le dijo una voz robótica dentro del coche, y su chófer, un rubio de cincuenta años, gran bigote Búfalo Bill, lo saludó desde el retrovisor. Bowie continuaba. *Estoy flotando de una manera tan peculiar y las estrellas se ven tan diferentes hoy.* Sí, feliz cumpleaños. Andrés iniciaba la gran huida de su vida sintiendo cómo el subidón de su polvo favorito le devoraba la garganta. A pesar de todo, podía gritar delante de esas serpientes de hormigón que llaman autopistas: *¿Puede oírme, mayor Tom? ¿Puede oírme?* Pronto se haría de noche y se encontraría el instante cinematográfico de las carreteras desoladas, cruzadas por luces infinitas y por estrellas asustadas ante la energía del hombre. Y él estaría allí dentro, mirando ese país-cárcel desde la ventanilla, moviéndose, siguiendo, acercándose a un más allá lejano, cercano, de neones o de cafeterías abandonadas como transbordadores espaciales entre satélites.

Cuando el subidón cedió, Andrés intentó evitar la paranoia que conocía tan bien. ¿Y si no tuviera fuerzas suficientes para cumplir ese alocado viaje? ¿Y si Búfalo Bill al volante se daba cuenta de lo que estaba haciendo y decidía denunciarlo en la siguiente comisaría? ¿Y si al llegar a San Francisco descubría que no tenía nada que hacer allí y regresaba? ¿Y si sus cuentas bancarias eran intervenidas? ¿Y si Mónica lo denunciaba? ¿Y si Cortezo o aquel enfermero que le sacó la sangre hablaban y detenían el coche antes incluso de llegar a San Petersburgo, Florida, donde quería ver el museo que esta ciudad dedica a Dalí? Si todo eso pasaba, éste sería su último cumpleaños, tal como se había prometido a sí mismo hace muchos años. Pero, Andrés, tú siempre fuiste el primero en decir que las promesas se hacen para romperlas.

Vio el cartel en la autopista: San Petersburgo. Se sintió aliviado. Eran las siete de la tarde y llevaban dos horas y media de viaje. En media hora, mientras Búfalo Bill repostara gasolina, se administraría otra buena toma de su polvo blanco. Siempre quiso conocer esta ciudad en plena Florida. Imaginaba que el propio Dalí habría escogido alojar su museo allí por el auténtico surrealismo implícito en una ciudad con nombre de capital zarista justo a un costado del Golfo de México. Y, efectivamente, San Petersburgo cumplía con lo que había imaginado: estatuas de la Venus de Milo, de yeso absoluto, paradas al lado de los semáforos. Gordos inmensos saliendo de tiendas de ropa playera. Adolescentes vestidas de putitas a lo Britney Spears comiendo helados y agitando sus móviles en el aire al encontrarse con sus clones. Los concesionarios de coches. El K Mart abierto las veinticuatro horas. Las portadas del *National Squirer* con el rostro de Julia Roberts. Las inevitables banderas de barras y estrellas o de las Torres Gemelas incendiadas o intactas. Retratos en el interior de las casas: san Nicolás, Bin Laden, Daniel Pearl (el periodista mártir del conflicto talibán), el mismísimo Cristo llorando sangre o la propia Brytney sujeta a un micrófono.

—¿Quiere que vayamos al Museo de Dalí, señor? —preguntó el conductor, por supuesto siempre en inglés.

—No —dijo Andrés. ¿Para qué, si lo visto ya superaba, una vez más, sus previsiones más macondianas?

Para pasar desapercibidos, durmieron en un hotel de las afueras. Algunas horas de sueño y muy de madrugada, aún de noche, de nuevo en la carretera.

A esas horas la noche todavía era densa. Desde la ventanilla, Andrés se enfrentó a la oscuridad inmensa del Golfo de México. Se asustó ante esa profundidad negra y ante esa energía peligrosa y desconocida: barcos hundidos, naves espaciales que seguramente navegan en su interior, inmigrantes cruzando sus olas encrespadas para acercarse a la nación-cárcel. Abrió la elegante bolsa de cuero y se preparó una dosis bien cargada y tan peligrosa como la oscuridad de esas aguas que, aunque silentes, parecían rugir. Búfalo Bill, que jamás cerraba los ojos, miraba hacia delante con la ventana abierta. La brisa del mar entraba y despeinaba su bigote. Andrés hizo una comprobación: la luna que lo separaba del conductor estaba subida. Entonces aspiró.

Se dio cuenta de que no le había dicho ni a Mónica ni a Victoria por qué había escogido una limo para escapar: según una ley federal, se estipula que las dimensiones de una limusina la convierten en un hogar, no necesariamente en una casa rodante, pero sí en una propiedad privada; es decir, disfruta de los mismos derechos que un domicilio y, por tanto, no se le puede efectuar ningún tipo de allanamiento si no se cuenta con una orden judicial. Maravilloso, ¿no es cierto? América magnifica ese don de facilitar las cosas a los que poseen dinero. Por eso cruzaba todo tipo de fronteras y se administraba las dosis, porque los espejos ahumados de su limo lo protegían de la policía y ésta no podía detenerle nunca, siempre y cuando el chófer respetara las normas de velocidad.

—Llegaremos a Nueva Orleans a media mañana, señor —señaló Bufallo Bill a través del interfono. La oscuridad empezaba a fragmentarse. Andrés estaba despierto y miraba las lanchas patrulleras de la *US Navy* disparando focos de alta potencia sobre el mar vacío.

Nueva Orleans, tierra de brujerías, donde la pobre hija de Al Bano desapareció y nunca más se volvió a saber de ella. Ni siquiera su cadáver. Nada apareció. Una calle equivocada, una amistad equivocada y, de pronto, el cero absoluto. Eso es lo que deseaba hacer en San Francisco: bajarse de esta limo, despedirse de Búfalo Bill y caminar por la calle Union, confundiéndose con los jóvenes ejecutivos de las empresas tecnológicas en quiebra o con los veteranos de Vietnam, completamente enajenados, que gritaban consignas de una guerra mediatizada hasta la saciedad.

El medio día en Nueva Orleans fue una autopista de coches negros con gente negra dentro. Todos vestían aún con ese aspecto tropical en pleno invierno y algunos escuchaban las noticias en ese acento medio sureño, medio francés y medio negro sin ubicación. Andrés oyó a un locutor decir que la gran noticia del año nuevo sería la detención de Bin Laden. El tráfico se hacía más espeso. Algunos de los conductores de color miraban la limo, a Búfalo Bill y al propio Andrés, que se mostraba sonriente y con el pelo agitado. En otro tramo del atasco matinal, Andrés prestó atención a un boletín de noticias, esta vez en castellano y desde el coche de una señora gorda que terminaba de maquillarse delante del retrovisor: «La crisis del corralito sureño puede estar a las puertas de la frontera de Estados Unidos. El FMI recomienda al presidente Bush no prestar más dinero porque pondría en peligro la estabilidad económica de nuestro país».

Andrés sonrió. Ya tenía treinta y siete años y Nueva Orleans, a un lado de la autopista, era una ciudad con edificios góticos de altísimas puntas, casas con porches de madera en muchos colores, y negros, tal vez practicantes de vudú, sentados medio dormidos bajo el sol. Nunca le interesó este universo oscuro. Siempre le dio miedo, pánico más bien, a perderse y no saber cómo volver. Que sigan la limo, el tiempo y mi sonrisa hacia la próxima parada, Houston.

Y aunque haya recorrido cien mil millas, ya no siento la velocidad. Dígale a mi esposa que la amo. ¿Puede oírme, mayor Tom? Volvía a cantar Bowie, y el calor de Nueva Orleans daba paso al frío elegante del desierto; al frío áspero del dinero de Houston. Allí terminaba *París, Texas*, con el camión de Travis alejándose de la postal cuajada de rascacielos y estrellas que tenía frente a él. No eran los rascacielos de Manhattan. No poseían esa calidad romántica. Eran emblemas del dinero, del trabajo eficaz, de la maquinaria atrapada en sí misma. Pero, como siempre, en medio del hormigón brotaba la belleza. Y la belleza eran las autopistas que se entrecruzaban como brazos de medusa, como serpientes buscándose unas a otras para morderse, como átomos en una barrera de coral protegiendo el arrecife vertical de los rascacielos. Aseo básico en un bar de carretera, comida sólida y diez horas de sueño en un motel cualquiera. Houston *no more*.

Al subir al vehículo de nuevo por la mañana, Andrés sintió con más fuerza la necesidad de atravesar el desierto y subir en línea recta por el vacío existencial del país antes de desembocar en el Pacífico. Administró su toma de las ocho de la mañana y vio el anuncio: Autopista de San Antonio. Al lado de la pantalla informativa, desde un hueco cualquiera dejado por las serpientes de hormigón, emergía un san Nicolás gigantesco deseando Feliz Navidad.

Eso fue San Antonio, porque el efecto del consumo a veces regalaba blancos en su conciencia. Andrés se entregaba al sueño y no se daba cuenta de las paradas que Búfalo Bill efectuaba en diferentes carreteras secundarias para tomar provisiones en los K Mart, rellenar el depósito o mirar a su extraño pasajero dormir entre palabras inconexas como Melisa, *mother*, Mónica y Victoria. En plena meseta de Edwards, entre San Antonio y El Paso, ya caída la noche, Andrés y Búfalo Bill dejaron la limo y entraron en un motel con árboles de navidad cubiertos de luces y de gnomos.

A la mañana siguiente, duchado, cambiado y con un sándwich de *tuna fish* en la mano Andrés parecía dispuesto a continuar. Búfalo Bill no se quejaba. Se ajustaba sus botas de vaquero, la gorra de su uniforme y se lanzaba a la carretera. El camino estaba repleto de nombres rusos en pueblos americanísimos. Odessa, por ejemplo. Precisamente allí Andrés sintió en su garganta un polvo frío y áspero, como de cocaína boliviana; el polvo que despedía la cercanía del desierto. Un reloj digital encima del edificio del United Savings mostraba la fecha, veinticuatro de diciembre y la navideña temperatura: cuarenta y cinco grados Fahrenheit. Vieron las Montañas Guadalupe. Montañas blancas, vacías, elevadas hacia la nada y con un aspecto de querer cobijar a la virgen mexicana. Al lado estaba El Paso, la frontera con México y la sorpresa para todos esos espaldas mojadas que seguían cruzando ilegalmente de un país a otro. Le sorprendió ver casas con Cristos de colores encendidos y llorando sangre. Y le sorprendió también ver a esos hombres: indios de piel agrietada que miraban cómo una limusina atravesaba su soledad desértica.

Nueva parada entre El Paso y Tucson. Otro motel anónimo, otra noche en la frialdad del desierto y la ra-

224

dio de la limo entonando, al amanecer, «Jingle Bells».
A media mañana Andrés ordenó a Búfalo Bill detenerse
delante de un nuevo K Mart. Dentro, chicos pobres de
pelo pajizo se colocaban sus disfraces de san Nicolás
para la jornada. Andrés se dirigió a la estantería de golosinas y arrambló con todos los twixies, milkiways y
M & Ms que pudo coger. Pagó y salió fuera.

—*Take them*. No existe mejor alimentación en el
mundo. De verdad —le dijo a Búfalo Bill, que tomó algunas golosinas y las guardó, delicadamente, en la guan-
tera. El chófer también ofreció a Andrés un regalo: una
botella de Wild Turkey. Tendrían que parar en un *resort*
de Arizona que Victoria le había sugerido. Estaba más
allá de Phoenix. Arizona le recordaba a unos amigos de
Melisa que en los ochenta enfermaron de sida y acabaron en este Estado en centros especializados de curación
espiritual. Tal vez seguirían allí, entonando *mantras* o mirando hacia las montañas y el desierto, como él mismo,
a la búsqueda de una señal, de un atisbo desconocido
de belleza.

26 de diciembre. Al mediodía la limo se detuvo de
nuevo a repostar. Unos niños indios miraban el coche
como si fuera una nave espacial y como si esperaran ver
a Elvis descender. Andrés se bajó y se encaminó al baño a
orinar y a comprar agua mineral en la tienda. Bufferins
para combatir la desagradable resaca de cinco días de
coca. Miró a los indios y recordó que justo en la mitad
de ese desierto existía una reserva de indios Colorado.

Allí estará lo mejor de la tribu, su futuro: niños que no tendrán interés en saber quién es Elvis y que, desde luego, no verán la limo como una nave espacial, porque han visto verdaderas naves espaciales sobrevolando el cielo limpio de su desierto. Niños indios que sólo ven la verdad: una locura, una huida..., el último capricho de un hombre acostumbrado a vivir sólo de caprichos.

Un sonido extraño se empezó a escuchar dentro de la limo; un leve crujido como si alguna válvula se hubiera cansado del recorrido. Después de todo, eran coches que se contrataban para hacer viajes absurdos, de un hotel a una alfombra roja en una gala cualquiera o alrededor de bares entre Washington y la Quinta durante el año nuevo. Pero el vehículo seguía, como seguía el desierto absorbiendo los colores del día. Iguanas gigantes se deslizaban por el asfalto. Camiones explotaban sus bocinas y, al fondo de todo, apoderándose de los últimos rayos de sol, el Gran Cañón, siempre lejos, siempre cerca, como una boca de aire caliente pidiendo que el espacio exterior se precipitara en su interior.

Búfalo Bill decidió encender la televisión de la limusina. Noticiero de la mañana: 27 de diciembre. Un conocido agente televisivo de Hollywood ha escapado junto a su hijo de dos años y una bolsa de cocaína en su coche. Andrés se desperezó y volvió a mirar a los lados. Nuevos concesionarios, nuevas adolescentes vestidas de Brytney Spears. A lo lejos se divisaban palmeras altas de oasis hollywoodense, precisamente.

—¿Quién es ese tío? —preguntó Andrés a Búfalo Bill refiriéndose al agente fugitivo.

—Un loco que se ha cabreado con la vida y ahora quiere jodernos a todos. Es probable que lo encontremos en nuestra ruta. Me han avisado desde la oficina de Miami con un mensaje al móvil.

—¿Y eso qué significa?

—Que usted debe autorizarme a detenerme y denunciarle si lo encontramos. Ha logrado esquivar dos helicópteros al salir de Los Ángeles, pero dicen que podría venir en esta dirección para luego subir, como nosotros, al norte de California.

Andrés se quedó absorto observando en la pantalla del minitelevisor una urbanización de casas ricas, pero idénticas, con vecinas elegantes que comentaban lo sucedido. Una mujer joven, demacrada, con aspecto de haberse dado sus buenas dosis de polvo blanco, sollozaba desconsolada y sola delante de unas cámaras que registraban cada movimiento. Agitó los brazos, gritó algo y se estremeció hasta que un hombre gordo fue hacia ella y consiguió meterla dentro de la casa.

Andrés miró el lujo sideral, sofisticado y perversamente americano más allá de lo europeo que inundaba este último trozo de desierto llamado Palm Springs. Aquí tenía su casa de recreo lo mejor de Hollywood. Aquí se divertía la más rutilante y gloriosa de las realezas americanas: Sinatra, Cary Grant, o incluso Bob Hope, que continúa vivo esperando que llegue el año nuevo del 2003 para felicitarse por haberlos enterrado a todos. Pensando esto, apareció ante ellos su casa, la del propio Bob Hope, delante de una gran fila de palmeras y esa torre de hormigón coronada por un platillo volador. *American style forever.* La casa no paraba de moverse debido a esa manera de ahuecar el hormigón tipo años cincuenta. Y hasta tal punto era así que la vivienda dejó de ser tal y se convirtió, como el Gran Cañón, en un lugar para observar el espacio y para señalar a los extraterrestres el mejor punto de aterrizaje. Al lado de la casa de Bob, es decir, unas hectáreas más allá, se levantaba el domicilio de un célebre arquitecto, muy admirado recientemente por esta construcción estilo Bauhaus: todo abierto, todo luz y todo cristal hacia ese desierto que se volvía oasis y enfilaba su naturaleza al encuentro del Pacífico.

Búfalo Bill volvió a conectar la televisión. En un especial informativo en directo Andrés observó la persecución policial del ex agente televisivo que llevaba la bolsa de coca y a su hijo como rehén. Andrés recordó esas tardes en las que miraba la tele con los otros reclusos del centro de rehabilitación donde cumplió su condena. La magia de ese aparato era capaz de hipnotizar con un melodrama, con un grupo de personas encerradas en una casa o con una pobre mujer salvadoreña regresando a su pasado. Y ahora, en la pantalla, Andrés tenía ante sí la persecución de un hombre de éxito, enajenado por las drogas. El Saab del ex agente iba a toda velocidad a través de una autopista. Salía de ella y entraba en una urbanización. Casas iguales. Niños llorando a la salida del colegio. Maestras enloquecidas al ver todo el revuelo. El locutor de la persecución gritaba igualmente espantado: «*Stop, mother fucker, stop the fucking car,* vas a matar a todos esos niños». La perfecta ley del pitido antigroserías de la televisión americana no dejaba de funcionar incluso en ese momento —«*mother piiiii*»—, aunque el coche se estuviera llevando por delante a una maestra y a seis niños.

Catástrofe americana. El coche del ex agente continuaba su estela homicida salpicada de sangre. El locutor gritaba y gritaba y los pitidos de la censura cumplían con su trabajo mientras la cámara de un video-aficionado grababa a la maestra descuartizada y a los niños que lloraban la muerte de sus compañeros. Unos metros más allá, el vehículo se estrellaba contra la pared de una casa y ardía inmediatamente. Más policías, más cámaras, más imágenes. Andrés ordenó a Búfalo Bill que apagara el aparato y se detuviera.

Se metió la raya más larga de todo el viaje. Giró la cabeza hacia las casas de las estrellas hollywoodenses en el desierto y se oyó a sí mismo: «*But I like you, America*».

—¿Desea descansar, señor? —preguntó Búfalo Bill por el interfono. Andrés bajó el cristal que los separaba. Quería verlo bien, ahora que empezaba el subidón. Sí, era un vaquero conductor de ojos verdes. Debió de ser un ligón en su juventud y ahora, con su esmerada profesionalidad, conducía una limusina hacia la nada. Seguro que comprendería mejor que nadie lo que él intentaba hacer. Frente a ese enajenado que acababa de ver morir aplastado por su propia persecución, Andrés había optado por comprarse no la libertad, sino esta nueva prisión con la que recorrer la verdadera cárcel de la opulencia, del peligro y de los milagros.

—No. Siga, por favor. *Go on. Go on.*